D0031379

S'il te plaît, dessine-moi un Conan.

ENVOYEZ-NOUS VOS PLUS BEAUX DESSINS, NOUS LES PUBLIERONS.

ENVOYEZ VOS ILLUSTRATIONS OU PLANCHES (2 MAXI SVP!) À :
KANA, 15-27, RUE MOUSSORGSKI, F.75018 PARIS - FRANCE.

N'OUBLIEZ PAS D'INDIQUER VOS NOM, ÂGE ET VILLE AU DOS DE VOS DESSINS!
ATTENTION, LES ORIGINAUX NE SONT PAS RETOURNÉS.

YU-GI-OH

11

高橋和希

Kazuki TAKAHASHI

Kana

《MAIN CAST》

Résumé des épisodes précédents

Yûgi a réussi à percer le mystère du puzzle Millénaire qui lui a été remis par son grand-père. Depuis ce jour, Yûgi possède le pouvoir occulte de faire apparaître son double qui sommeille en lui ! Yûgi est invincible aux jeux, jusqu'au jour où il trouve sur son chemin le directeur de la Kaiba Corporation, le jeune Seto Kaiba...

Les deux garçons s'affronteront au jeu de cartes Magic and Wizards... Deux duels mémorables, dont Yûgi sortira gagnant ! Kaiba devra quant à lui se soumettre au jeu de la sanction infligé par Yûgi qui le plongera dans le coma...

Un jour, le génial inventeur du jeu Magic and Wizards, Pegasus Jr. Crawford, vient défier Yûgi... Pegasus possède, comme Yûgi, un item millénaire, "l'oeil millénaire". Cet objet lui permet de pratiquer le "mind scan" qui consiste à lire dans les pensées d'un autre ! Pour la première fois de son existence, Yûgi perd une partie et doit subir le jeu de la sanction infligé par Pegasus... Pegasus prend alors le grand-père de Yûgi en otage en l'enfermant dans une caméra vidéo !! Pour délivrer son grand-père, Yûgi se voit obligé de participer au tournoi qu'organise Pegasus sur son île, le royaume des duellistes. Yûgi emmène ses amis avec lui sur cette île pour affronter d'autres duellistes... Mais une nouvelle surprise les y attend... Seto Kaiba vient de reprendre connaissance et s'est infiltré sur l'île où son frère est détenu par Pegasus. Seto veut récupérer son frère et protéger son entreprise convoitée par Pegasus. Seto reste égal à lui-même, maniant le cynisme et l'ironie... Un obstacle en plus sur le chemin de nos amis ? Yûgi et les siens sont plus que jamais déterminés à protéger ce qui leur est précieux...

YU-GI-OH !

Yu-Gi-Oh!

Volume 11

Sommaire

Battle 88
LES ASSAILLANTS DES TÉNÈBRES

DONG
LE CHÂTEAU DE PEGASUS !!!
2h30
WUOW
STAP

HÉ, T'ES AU COURANT ...?
LA LIAISON AVEC LE PILOTE DE L'HÉLICOPTÈRE EST INTERROMPUE.
!
TU VEUX DIRE QU'IL EST TOMBÉ EN MER ?
PAS TOUT À FAIT... LA RADIO EST ENCORE EN ÉTAT DE MARCHE.
EH BIEN, ALORS QUOI ?!
...!
C'EST VRAI QUE J'AI CRU ENTENDRE UN HÉLICO TOUT À L'HEURE...

ZUMF
UHM ?

TU... TU ES ...!!
KA...
KAIBA ...!!
BAM
PRÉVIENS PEGASUS !!!
SETO KAIBA VIENT LUI RENDRE UNE VISITE !!

GRiiiii

CLOC CLOC

OH ! MONSIEUR KAIBA...!
QUELLE SURPRISE ! UNE VISITE À UNE HEURE AUSSI TARDIVE, JE SUIS SINCÈREMENT SURPRIS...

PFFH...
VOUS N'AVEZ PAS RÉUSSI À ME SUPPRIMER, QUEL DOMMAGE !

...
ENTREZ, JE VOUS PRIE...

C'EST VOTRE DEUXIÈME VISITE SUR NOTRE ÎLE...?
LA DERNIÈRE FOIS, C'ÉTAIT... OUI, JE M'EN SOUVIENS...!
C'ÉTAIT POUR FÊTER LE LANCEMENT DE LA "CARD BATTLE SIMULATOR BOX" !

GARDE TES HISTOIRES POUR TOI...

JE SAIS QUE VOUS DÉTENEZ MOKUBA !!
OÙ EST-IL ?
KAAA

VOYONS... MOKUBA ...?!
AH OUI, J'OUBLIAIS QUE VOUS AVIEZ UN FRÈRE...
LE DÉTENIR...? JE NE VOIS VRAIMENT PAS... D'AILLEURS, JE NE L'AI JAMAIS VU SUR CETTE ÎLE...

NE ME FAIS PAS PERDRE MON TEMPS !
JE VEUX VOIR PEGASUS !!!

C'EST DIFFICILE ...
IL EST TROIS HEURES DU MATIN...
MONSIEUR PEGASUS DOIT DORMIR À CETTE HEURE...

ET SI JE VOUS ACCOMPAGNAIS PLUTÔT JUSQU'À VOTRE CHAMBRE...
LE VOYAGE A DÛ ÊTRE ÉPROUVANT, VOUS AVEZ BESOIN DE REPOS...

AGRIP
J'AI DIT, MAINTENANT !!!

FUHH...
C'EST ENTENDU ...

EN OUVRANT CETTE PORTE, VOUS POURREZ RENCONTRER MONSIEUR PEGASUS...
ALLEZ-Y...

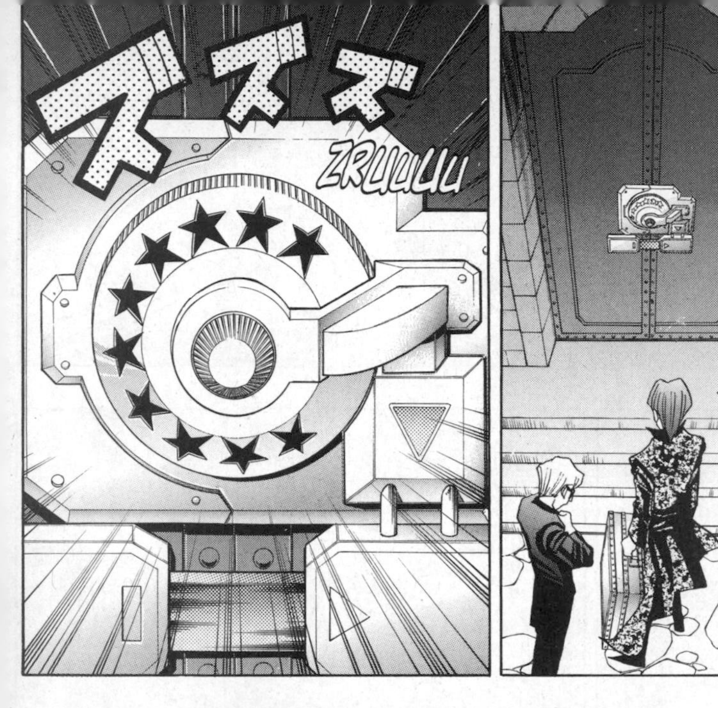
UHMM...
ズズズ
ZRUUUU

MAIS ...!!
IL Y A DES TROUS EN FORME D'ÉTOILE SUR CETTE PORTE !!

VOILÀ...
CETTE PORTE NE PEUT S'OUVRIR QUE SI ON POSSÈDE 10 ÉTOILES.
EN FAIT... IL FAUT AVOIR REMPORTÉ DES DUELS POUR POUVOIR ENTRER AU CHÂTEAU...

IL EN SERA DE MÊME POUR VOUS...

GRR...!!
ZRUU
ZRUU

BIEN... VOTRE CHAMBRE EST PRÊTE...
VEUILLEZ ME SUIVRE...

GROOOOOW

BIEN... C'EST POUR CE TOUR...!

UHMM...
MER-DE...
ENCORE UNE CARTE NULLE...!
ZDOOOOOO
UWUAAAAAA!!!
JÔNO-UCHI !! TU ES TERRORISE PAR CE DUEL, TU NE T'EN REMETTRAS JAMAIS !
TU N'ES QU'UN LOOSER !! HA HA HA !

VLAF
!!
UWAAF
UN CAUCHE-MAR...
BDOM
BDOM

MOI, TERRORISE PAR CE DUEL ? CETTE ENFLURE DE KAIBA...!
YÛGI N'A JAMAIS BAISSÉ LES BRAS ! MÊME CONTRE DES ENNEMIS REDOUTABLES, IL S'EST TOUJOURS BATTU...
LUI QUI A L'AIR SI FRAGILE.
RAAAAH!!!
PAS QUESTION DE SE LAISSER ALLER !
GLIP
...
YÛGI...
AU ROYAUME DES DUELLISTES !! Deuxième jour du tournoi 9h30
C'EST LE MATIN !!!
ALLEZ !! ON SE LÈVE TOUS !!

C'EST LE DERNIER JOUR DU TOURNOI !!!
LE CHÂTEAU DE PEGASUS, VOILÀ NOTRE OBJECTIF !!!
ON VA GAGNER DES ÉTOILES ET POURSUIVRE NOTRE PROGRES-SION !!
SOM-MEIL...
IL EST EN PLEINE FORME !

ET CE GARÇON, KAIBA... EST-CE QU'IL EST ARRIVÉ AU CHÂTEAU ...?

KAIBA...

VOUS ÊTES DÉJÀ TOUS RÉVEILLÉS ?!
ANZU !
SALUT !

MAIS ?
OÙ EST Mlle MAÏ...?
ELLE ÉTAIT DÉJÀ PARTIE QUAND JE ME SUIS RÉVEILLÉE...
ELLE A LAISSÉ LA TENTE ET DE LA NOURRITURE POUR NOUS...
ÇA PÈSE LOURD ...

AH OUI, J'OUBLIAIS...
ELLE PRÉFÈRE ÊTRE SEULE...
ELLE A LAISSÉ UNE LETTRE À TON ATTENTION.
UNE RECON-NAIS-SANCE DE DETTE.
UNE RECON-NAIS-SANCE DE DETTE...
CHER YUGI, JE T'EMPRUNTE LES ÉTOILES ! MAÏ

VOUS ÊTES TOUS PRÊTS ?!
OUAIS !

ON Y VA !
JÔNO-UCHI 4 étoiles

YÛGI 6 étoiles

TU CROIS QU'IL RESTE ENCORE COMBIEN DE DUELLISTES SUR L'ÎLE ?
HIER, IL Y EN A 12 QUI ONT DÛ QUITTER L'ÎLE...
SANS COMPTER CEUX QUI SE SONT FAIT AVOIR PAR LE PLAYER KILLER...
JE DIRAIS QUE SUR LES 40 PARTICIPANTS, IL DOIT EN RESTER LA MOITIÉ !

ON A ENCORE UNE JOURNÉE DEVANT NOUS...
JÔNO-UCHI, ON DOIT CONTINUER À PROGRESSER EN GARDANT NOTRE SANG-FROID !
MAIS ON NE PEUT PAS TROP TRAÎNER NON PLUS...
SI LES AUTRES RÉCUPÈRENT LES 10 ÉTOILES AVANT NOUS, C'EST FINI...
N'OUBLIEZ PAS QUE SEULS 4 JOUEURS SERONT ADMIS AU CHÂTEAU...

ET CEUX QUI RESTENT SONT CEUX QUI ONT GAGNÉ DES DUELS HIER...
ILS ONT DÛ AUSSI SE RENFORCER !!

HÉ, YÛGI ! NE RACONTE PAS DES TRUCS COMME ÇA, ÇA VA FOUTRE LA TROUILLE À JÔNOU-UCHI !
UHMM...
PLUS FORT QU'HIER ...
FOUTRE LA TROUILLE À QUI ?! ABRUTI !
MAIS, C'EST VRAI !
ALLEZ, LES GARÇONS, DU CALME !
日本の星
MÊME SI L'ENNEMI QUI ME DÉFIE EST BALAISE...
KERPS
... MOI, JE LES ÉCLA-TERAI TOUS !

VOILÀ, BONNE RÉSO-LUTION !!!
JÔNO-UCHI !

QUE DIS-TU DE CEUX-LÀ ?
ON SE LES FAIT ?!
OUI... MAIS REGARDE !
JE NE VOIS QUE DEUX DUELLISTES DANS CETTE BANDE !!
ET EN PLUS L'UN D'EUX S'APPELLE YÛGI.
YÛGI !!!
COMMENCE PAR PRÉVENIR LE BOSS !
ON VA DEMANDER SON AVIS AVANT DE LES ATTAQUER !

TU VOIS...
C'EST AVEC CETTE CARTE QUE J'AI RAFLÉ LA PRIME !
TROP FORT !

BOSS !!!

ALORS ? VOUS AVEZ TROUVÉ DES PROIES ?
OUI.
J'EN AI VU DEUX...

MAIS JE ME DEMANDAIS S'IL NE VALAIT PAS MIEUX LAISSER TOMBER ...
ON N'A PAS LE NIVEAU POUR LES BATTRE...
L'UN DES GAMINS S'APPELLE YÛGI !
YÛGI ?!
JE NE CONNAIS PAS...

C'EST CELUI QUI A BATTU KAIBA !
ON DIT QUE CE GAMIN EST CERTAIN D'ÊTRE QUALIFIÉ POUR ENTRER AU CHÂTEAU !!

YÛGI OU J'SAIS PAS QUOI... RIEN À FOUTRE ! JE NE LE CONNAIS PAS...
QUI C'EST CELUI QUI DIT DES TRUCS AUSSI CONS ?!

C'EST NOUS QUATRE, QUI ALLONS ENTRER AU CHÂTEAU !!
IL ME SEMBLE QUE C'ÉTAIT CLAIR !

DONG
MOI, L'ILLUSTRE BANDIT KIERCE...
IL A RAISON ! C'EST POUR ÇA QU'ON S'EST JURÉ DE S'AIDER !
AH... OUI !!!
EN RENCONTRANT NOTRE CÉLÈBRE BOSS, ON A GAGNÉ UN TICKET POUR ALLER AU CHÂTEAU !
OUAIS...
C'EST AUSSI GRÂCE À MES CONSEILS QUE VOUS AVEZ SURVÉCU DANS LE TOURNOI !

NOUS, ON A PEUR DE RIEN ! ON EST LES MEILLEURS CHASSEURS DE PRIME DES USA !
OUAIS, ON A BANDIT KIERCE AVEC NOUS !

PEGASUS PEUT TREMBLER !!
JE LUI FERAI PAYER LA HONTE QU'IL M'A FAIT SUBIR !

CES DEMEURÉS VONT RÉCUPÉRER LES ÉTOILES POUR MOI, SANS QUE JE ME SALISSE LES MAINS !!

ET CELUI QUI ACCOMPAGNE YŪGI, IL EST COMMENT ?
L'AUTRE... IL N'AVAIT PAS L'AIR TRÈS FORT.

BIEN ! ON COMMENCE PAR CELUI-LÀ !
ESSAYEZ D'EN ATTIRER UN !

UN SEUL... ÇA RISQUE D'ÊTRE COMPLIQUÉ...
ILS SONT ASSEZ NOMBREUX.

FACILE... IL SUFFIT D'EN JETER UN DANS LE TROU !
QUEL TROU ?

JE PARLE DE LA GROTTE DE CETTE ÎLE !
IL Y A UN TABLEAU CACHÉ DEDANS !
J'AI TROUVÉ L'ENTRÉE DE CETTE GROTTE PRÈS D'ICI !

UN TABLEAU CACHE ?!

CETTE ÎLE ÉTAIT OCCUPÉE PAR L'ARMÉE AMÉRICAINE PENDANT LA GUERRE...
DE NOMBREUX SOLDATS Y ONT ÉTÉ ENTERRÉS !

MAINTENANT, C'EST DEVENU LE TABLEAU DU CIMETIÈRE !

LE TABLEAU DU CIMETIÈRE ?!

TOI ! TON JEU DE CARTES REPOSE SUR LES FANTÔMES, C'EST BIEN ÇA ?
EUH OUI...
PARFAIT ! C'EST TOI QUI VAS LUTTER DANS LE CIME-TIÈRE !

D'AC-CORD !
LAISSEZ FAIRE LE SPÉCIALISTE !!!
BIOOONG

MONTRE-MOI QUAND MÊME TES CARTES.
TIENS.

TSCHH... ELLES MANQUENT DE PUISSANCE...

HE HE... PAS DE SOUCIS !
ON VA COMPLÉTER TON JEU AVEC MES CARTES, ÇA VA LES RENFORCER.
LE BOSS EST VRAIMENT GÉNIAL ! IL POSSÈDE LES CARTES LES PLUS REDOUTABLES !!!
C'EST GRÂCE À SES CARTES QU'ON A SURVÉCU AU TOURNOI !
OUAIS !!!
TU TE BATTRAS AVEC CELLES-LÀ !
LA VICTOIRE T'EST ASSURÉE !
SUPER !!!
NORMALEMENT, ON NE POUVAIT PAS APPORTER PLUS DE 40 CARTES AVEC NOUS.
LE RÈGLEMENT, J'EN AI RIEN À BATTRE !
EN PLUS, JE NE SUIS MÊME PAS UN PARTICIPANT OFFICIEL...
JE ME SUIS INFILTRÉ SUR CETTE ÎLE !

PEU IMPORTE LES MOYENS, SI JE ME POINTE AU CHÂTEAU AVEC 10 ÉTOILES, PERSONNE N'Y VERRA RIEN À REDIRE !
JE RAFLE LA PRIME ET EN PLUS JE ME VENGE DE PEGASUS !!!
ALLEZ, FILEZ !!!
OUAIS !!!
OUI !

JE VOIS PAS D'AUTRES DUELLISTES ?
C'EST VRAI, ON N'EN A PAS ENCORE CROISÉ...

UHMM

ON FAIT UNE PAUSE ?
JE VAIS FAIRE PIPI !

PARFAIT !!!

UHMM...

AH !! ÇA FAIT DU BIEN !!

GWUAP !!
!!

MMH...!!
BIEN ! ON L'EMMÈNE !!!
ZDAAA

HMM... HMM !

ON Y EST PRES-QUE !

BOSS ! ON A RÉUSSI À LE CAPTURER !!!
BIEN, FOUTEZ-LE DANS LA BATTLE BOX !!

VOILÀ, TU ES NOTRE INVITÉ D'HON-NEUR !!
KURPS... QU'EST-CE QUE VOUS ME VOULEZ ?!

BIENVENUE SUR LE TABLEAU DU CIMETIÈRE.
TU VAS MOURIR ICI PAR LES CARTES FANTÔMES !

HEIN...

GYAAAAAAA!!!

MAIS QU'EST-CE QU'IL FABRIQUE ?
IL DOIT FAIRE CACA !
CRÉTIN !
日本の星

ムズ!
UHMM

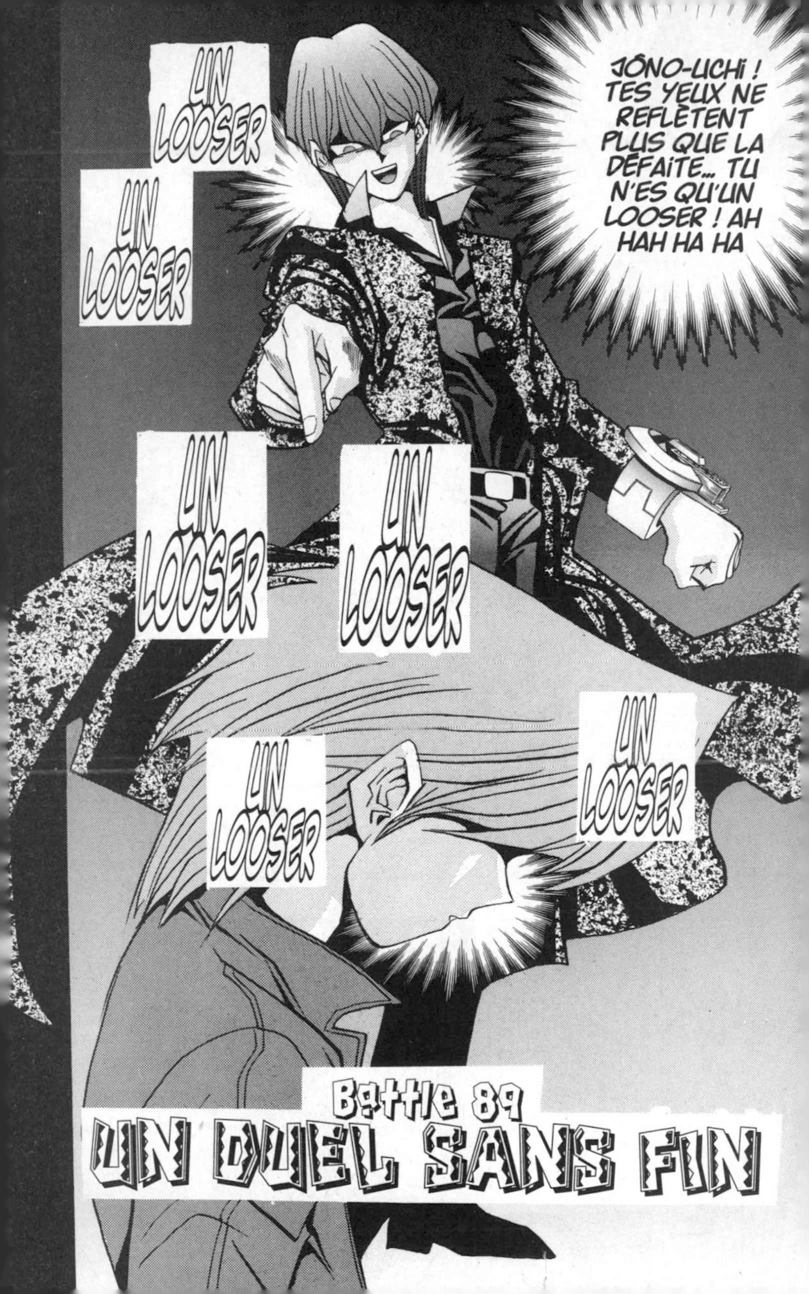
JÔNO-UCHI ! TES YEUX NE REFLÈTENT PLUS QUE LA DÉFAITE... TU N'ES QU'UN LOOSER ! AH HAH HA HA
UN LOOSER
UN LOOSER
UN LOOSER
UN LOOSER
UN LOOSER
UN LOOSER
Battle 89
UN DUEL SANS FIN

UN DUEL !!!
BIONG
BIONG
MA CARTE FANTÔME VA BIEN TE FAIRE SOUFFRIR.
EH HE HE ...

HE HE ...
ALORS, TU LA SORS, TA CARTE ?

BLUP BLUP
MAIS !!!

WEMP

BOSS !! CET ABRUTI S'EST ÉVANOUI !!!
QUOI ?!

KERPS...
JE M'ÉTAIS IMAGINÉ QUE LE TYPE QUI ACCOMPA-GNERAIT CE YÛGI SERAIT AU MOINS UN MEC À LA HAUTEUR...
À LA PLACE, ON TOMBE SUR UN NAZE...

HAHAHA
J'AI JAMAIS VU UN MEC AUSSI PEUREUX !!!

RÉVEIL-LEZ-MOI CE MINABLE !!!

TIENS...

TU VAS TE REVEILLER, OUI ?!
SPAAF
GLANG
...
URH..
...!
KRISP
MAIS ?!
AGRIP
!
QU'EST-CE QUE VOUS FOUTEZ ?!
HYII...
!!
ZRUUU ZRUU
QU'EST-CE QUE C'EST QUE CET ENDROIT ?!
ZOMB

C'EST UN TABLEAU CACHÉ !
LE TABLEA DU CIME-TIÈRE !!!
ZRUU
ZRUU
UN... UN TABLEAU... CIMETIÈRE.
HE HE HE ...
C'EST UNE GROTTE OÙ RÔDENT LES ÂMES DES SOLDATS DISPARUS ...
HE HE... TU N'AS AUCUNE POSSIBI-LITÉ DE T'EN ÉCHAPPER.
BIONG
HMM

ALLEZ !! ON COMMENCE CE DUEL !
SORS TES CARTES !!!

HE HE HE ...
J'AI LA TROUIL-LE...

OUPS... C'EST TROP CRAIGNOS ...
LA CRAINTE ABSOLUE ...!!

ON MISE TOUTES NOS ÉTOILES.
POUR MOI, ÇA EN FAIT QUATRE !!!

...!
GLOUPS

KTAC

SI JE PERDS, TOUT EST FINI...

HÉ HÉ... PAS DE DOUTE, SUR CE DUEL, JE GAGNE QUATRE ÉTOILES...
EN PROFITANT DES MECS DE LA BANDE, J'AI LA GARANTIE DE RÉCUPÉRER FACILEMENT LES 10 ÉTOILES...

MES PETITS NAZES, JE COMPTE SUR VOUS...
... POUR ME FAIRE INVITER CHEZ PEGASUS.
EHE HE...

TES YEUX NE REFLÈTENT PLUS QUE LA DÉFAITE... TU N'ES QU'UN LOOSER !!!
MERDE ...!
SI JE M'ENFUIS D'ICI, JE PASSE DÉFINITI-VEMENT POUR UN LOOSER !

JE NE VEUX PAS ME POINTER DEVANT MES AMIS AVEC UNE FACE DE LOOSER !!!
ON Y VA !!!
TOUT LE TABLEAU EST UN CIMETIÈRE !!!
MES MONSTRES SE RENFORCENT AU MAXIMUM !!
LE FANTÔME DES CENDRES FUNÉRAIRES Points de vie 2000
LE DUEL !!!
DANS CE GENRE DE SITUATION... JE NE PEUX COMPTER QUE SUR MES CARTES !!
DONG
JÔNO-UCHI Points de vie 2000
MAGNE TOI DE L'EXPÉDIER DANS L'AU-DELÀ !
WAH HA HA !
HE HE HE...
LE MOMENT OU JAMAIS D'AVOIR DU CRAN !!
MOI, JE VAIS JOUER CETTE CARTE !!
VLAF

C'EST PAS NORMAL... ÇA FAIT TROP LONGTEMPS QU'IL EST PARTI...
OUI... TU AS RAISON...
ÇA FAIT BIEN 20 MINUTES QU'IL EST PARTI !!

TU CROIS QU'IL S'EST PERDU ?
日本の星
NON, JE NE CROIS PAS !
IL EST DU GENRE À SE REPÉRER À L'ODORAT...

C'EST QUAND MÊME PAS UN CHIEN !
UN DUEL ?
UN AUTRE JOUEUR L'AURAIT PROVOQUÉ EN DUEL ?

ÇA PARAÎT CRÉDIBLE...!
IL EST BIEN CAPABLE DE FAIRE ÇA POUR VENIR NOUS MONTRER FIÈREMENT SES ÉTOILES !
日本の星
IL A DU MAL À CERNER SES LIMITES...

ON VA SE METTRE À SA RECHERCHE !!!

BAKURA ET MOI, ON VA ALLER INSPECTER LES BATTLE BOXES DU SECTEUR !
ANZU ET TOI, VOUS ALLEZ VOIR DANS LE BOIS !
OK !

JÔNO-UCHI !

JÔNO-UCHI !

JÔNO-UCHI !

PERSONNE DANS LA BATTLE BOX...
ALLONS VOIR PAR LÀ !

JÔNO-UCHI !
JÔNO-UCHI !
RIEN ! IL N'EST PAS PAR LÀ...

JÔNO-UCHI !
MAIS OÙ ES-TU...?

AXE RAIDER
Attaque 1700
Défense 1150
ZRUU ZRUU
VOILÀ MA CARTE !!!
BLAM

"AXE RAIDER"... UNE CARTE BANALE DE LA FAMILLE DES GUERRIERS... SANS AUCUN INTÉRÊT...
CE MEC N'A PAS L'AIR TRÈS REDOUTABLE...

MES MONSTRES SONT FORTS DANS LE CIMETIÈRE, C'EST COMME S'IL JETAIT LES SIENS EN PÂTURE...

ET MOI, JE PRENDS CETTE CARTE !!!
LA CARTE FANTÔME "LE SPECTRE DE MÉDUSA" !!!
Attaque 1500
Défense 1200
ATTENDS UN PEU !
HEIN ...?!
NE PRENDS PAS CETTE CARTE !
TU VAS SORTIR LA CARTE QUI EST À GAUCHE !!

KOAAAA ?!
LA CARTE... CELLE DE GAUCHE ?!?!
LA CARTE DU "YOROI MUSHA ZANKI" ?!?
YOROI MUSHA ZANKI
CE N'EST PAS UNE CARTE DE FANTÔME... C'EST UN GUERRIER !!!
JE L'AI PLACÉE DANS TON JEU TOUT À L'HEURE... HÉ HÉ...
ATTAQUE AVEC CELLE-LÀ !

MAIS SI JE SORS CETTE CARTE, ELLE VA SE FAIRE BOUFFER PAR SON "AXE RAIDER" !!
HÉ, TOI, LÀ-BAS !
ON N'EST PAS DANS UN SALON DE THÉ !!
FAIS COMME JE T'AI DIT, IL N'Y AURA AUCUN PROBLÈME !!!
TU DEVRAIS FAIRE COMME DIT LE BOSS !
C'EST GRÂCE À SES CONSEILS QU'ON A GAGNÉ JUSQU'À PRÉSENT !
D'ACCORD... JE VAIS FAIRE CONFIANCE AU BOSS...
"YOROI MUSHA ZANKI" PASSE À L'ATTAQUE !!

ZRUU
ZRUU
BATTLE !!!
AXE RAIDER Attaque 1700
YOROI MUSHA ZANKI Attaque 1500
"AXE RAIDER" PASSE À L'ATTA-QUE !!
LE SHIP-PÛGIRI !!!
VLASH
YOROI MUSHA ZANKI EST DÉCAPITÉ !!!
UPS... IL A DISPA-RU...
SHUUUUU
GHOST KOTSUZUKA Points de vie 1800
PARFAIT...
HE HE

ÇA, C'EST DE L'ACTION !!!
NE T'INQUIÈTE PAS, CE N'EST PAS LA PLACE QUI MANQUE DANS CE CIMETIÈRE ! TU VAS MOURIR TRANQUILLE !
GRR...
HE ! SINISTRE MORVEUX ! JE NE VOIS PAS DE CARTE SUR TON JEU !
QU'EST-CE QUE T'ATTENDS POUR EN SORTIR UNE ?!

NUOOW...
CETTE FOIS... UNE CARTE DE FANTÔME...
NON ! LA DEUXIÈME EN PARTANT DE LA GAUCHE.
HEIN ?

LE "DRAGON RAMPANT" ?!
!!
DRAGON RAMPANT ★★★★★
Attaque 1600
Défense 1400
MAIS CE N'EST TOUJOURS PAS UNE CARTE DE FANTÔME...
MAIS CE GENRE DE CARTE... À L'INSTANT MÊME OÙ JE LA PLACE DANS LE JEU, ELLE SE FAIT BOUFFER...!

JE SUIS BANDIT KIERCE. TU DOIS CROIRE À LA LÉGENDE D'INVULNÉRABILITÉ QUI ENTOURE MON NOM...

ARRÊTE DE DOUTER... JE SUIS EN TRAIN DE T'ÉLABORER UNE TACTIQUE POUR TE FAIRE GAGNER...

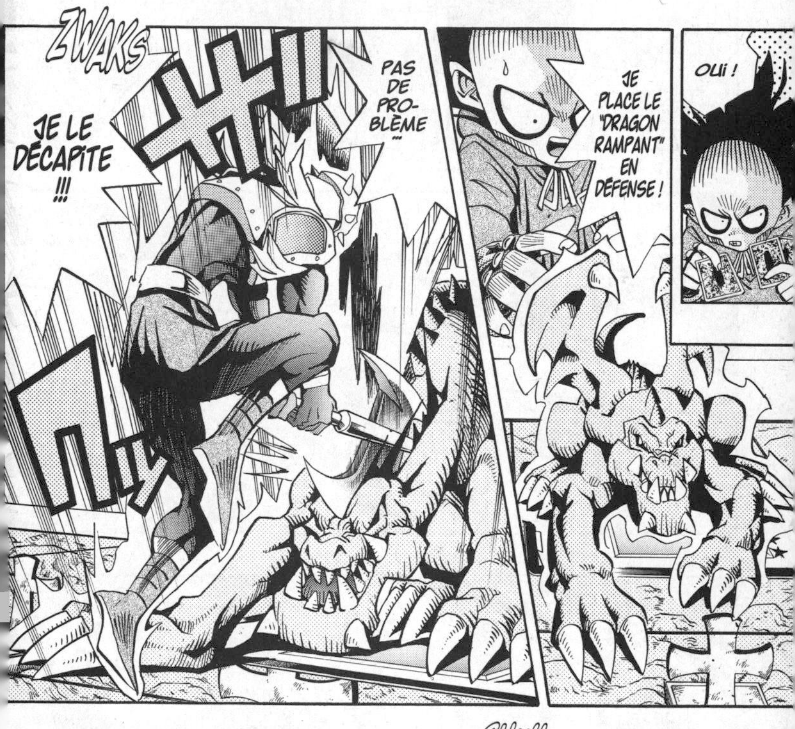
ZWAKS
JE LE DÉCAPITE !!!
PAS DE PRO-BLÈME ...
JE PLACE LE "DRAGON RAMPANT" EN DÉFENSE !
OUI !

BIEN !!!
SHUUU

VLAF
VOILÀ LA CARTE SUIVANTE !!!
MURDER CIRCUS
Attaque 1350
Défense 1400
ZDOODOO
ZDOODOO
TA CARTE EST MINABLE ! JE VAIS LA DÉCHIQUETER !!
BATTLE!!!
KLUP KLUP
LE "CHEVALIER DES FLAMMES" !!!
CHEVALIER DES FLAMMES
Attaque 1800
Défense 1600

GWUOOOO
TÔKIENZANKEN!!!
BIEN !!
ME VAIS GAGNER !!!
URGL...
GHOST KOTSUZUKA Points de vie 1350
"MURDER CIRCUS" EST DÉTRUIT !!!

EN Y RÉFLÉCHISSANT... YÛGI ME SAUVE RÉGULIÈREMENT LA MISE... JE N'ARRIVE PAS À ME DÉBROUILLER SEUL ET ÇA ME TAPE SUR LES NERFS !
UHMM
MAIS !!!

GLIP
CETTE FOIS, JE GAGNERAI SEUL !
JE DOIS SURMONTER MES FAIBLESSES !!!

BANDE DE NAZES JE VOUS PRENDS TOUS LES QUATRE !!

D'ACCORD, PUISQUE C'EST TOI QUI LE DEMANDES !
HE HE HE...
MAIS...
SUEUR...
ドキッ
AH
MAIS BIEN SÛR...!
LE BOSS AVAIT PRÉVU DE CONTRE-ATTAQUER AVEC CETTE CARTE !
IL EST VRAIMENT TROP FORT !

C'EST LE MOMENT DE LUI MONTRER TA CARTE MAÎTRESSE !!!
SON ATOUT ...?
PRENDS GARDE !!
VOILÀ UNE CARTE ULTIME !!!
VLAF
?!

DOM
UNE CARTE DE MAGIE TRÈS RARE, "L'APPEL DES MORTS VIVANTS"
L'APPEL DES MORTS VIVANTS
Ce sort fait ressusciter tous les monstres tués par l'ennemi en les transformant en zombies. Le pouvoir de l'immortalité les met à l'abri de toutes sortes d'attaques et ils gardent quand même la caractéristique d'une carte fantôme.
IL NE SUFFIT PAS D'UTILISER DES CARTES DE FANTÔMES POUR GAGNER DANS LE TABLEAU DU CIMETIÈRE ! UN PEU D'ASTUCE PERMET D'OPTIMISER LE RÉSULTAT !
"L'APPEL DES MORTS VIVANTS" ?!?!

EUH...
SBROC
QUOI ?! IL Y A UN TRUC QUI SORT DE LA TERRE...
ZRUU
MAIS... C'EST ...!
ZRUU

GRÂCE AU POUVOIR DE "L'APPEL DES MORTS VIVANTS" LES MONSTRES DISPARUS REVIENNENT À LA VIE EN SE MÉTAMORPHOSANT EN ZOMBIES !!
ZDOOOM
MURDER CIRCUS ZOMBIE (IMMORTEL GHOST) Attaque 1350
PUISSANCE DU CIMETIÈRE 1755
DRAGON ZOMBIE (IMMORTEL GHOST) Attaque 1600
PUISSANCE DU CIMETIÈRE 2080
YOROI MUSHA (IMMORTEL GHOST) Attaque 1500
PUISSANCE DU CIMETIÈRE 1950
EN DEVENANT ÉGALEMENT DES CARTES DE FANTÔMES, ILS AUGMENTENT LEUR PUISSANCE AU CONTACT DU TABLEAU DU CIMETIÈRE !!

!!
"DRAGON ZOMBIE" ATTAQUE "AXE RAIDER" !!
MÉTAMORPHOSÉS EN ZOMBIES...!!
ZDOOOO
ZGRAAAAM
ZRUUU
MON ATTAQUE ÉTAIT POURTANT NETTE... IL S'EST QUAND MÊME RÉGÉNÉRÉ...
ZUM
LE POUVOIR D'IMMORTALITÉ PERMET DE RESSUSCITER INDÉFINIMENT !!

L'ATTAQUE DE "DRAGON ZOMBIE" !
"LE SOUFFLE MORTEL DU ZOMBIE" !!!
"AXE RAIDER" EST PUTRÉFIÉ !!!
FUHAAAAAA
EPS...
JÔNO-UCHI
Points de vie
1620
JÔNO-UCHI ...!!

L'ATTAQUE DE "DRAGON ZOMBIE" !
LE SOUFFLE MORTEL DU ZOMBIE !!
FUHAAAAA
"AXE RAIDER" EST PUTRÉFIE !!!
Battle 90
L'APPEL DU CIMETIÈRE
EPS...
JÔNO-UCHI Points de vie 1620
HE HE HE ! QUE DIS-TU DE ÇA ?!
GRÂCE À MA CARTE DE MAGIE, TOUS MES MONSTRES SE SONT REINCARNES EN ZOMBIES !!
L'APPEL DES MORTS VIVANTS
Ce sort fait ressusciter tous les monstres tués par l'ennemi en les transformant en zombies. Le pouvoir de l'immortalité les met à l'abri de toutes sortes d'attaques et ils gardent quand même la caractéristique d'une carte fantôme.
IL N'Y A AUCUN MOYEN DE LUTTER CONTRE MA TROUPE DE ZOMBIES !
...
MERDE... CETTE BANDE DE ZOMBIES EST REDOUTABLE ...!
GLOUPS

Battle 90
L'APPEL DU CIMETIÈRE

ZRUU
ZRUUU
MURDER CIRCUS ZOMBIE
Attaque
1350
Augmente sa puissance
1755
DRAGON ZOMBIE
Attaque
1600
Augmente sa puissance
2080
YOROI MUSHA ZOMBIE
Attaque
1500
Augmente sa puissance
1950

ZOMB
URH...
CES MONSTRES SONT VRAIMENT SINISTRES...
ILS SE SONT RENFORCÉS GRÂCE AU TABLEAU DU CIMETIÈRE... ÇA NE VA PAS ME FACILITER LES CHOSES !!

ALLEZ, ALLEZ, C'EST À TOI DE JOUER !
NE ME DIS PAS QUE TU AS PEUR ?! TU VAS ENCORE T'ÉVANOUIR EN BAVANT LA GUEULE OUVERTE ?! HA HA !
QUOI ?! C'EST DE MOI QUE TU PARLES ?!
WAH HA HA HA !
MOI, J'SUIS LÀ POUR DEVENIR UN GRAND DUELLISTE !!!
C'EST MOI QUI VAIS VOUS FAIRE MONTER LA BAVE AU BEC !!

À NOUS DEUX LES ZOMBIES !!!
VLAF
VOUS ÊTES POURRIS JUSQU'À LA MOELLE ! JE VAIS VOUS ÉCLATER !!
VOILÀ MA CARTE !!!
VOM
LE MONSTRE GUERRIER "GAROUZUS" !!
GAROUZUS
Attaque 1800
Défense 1500
GROOO
HE HE...
À L'ATTAQUE !!!
ZBAAA
ZDOO ZDOO
WOOO
MURDER CIRCUS ZOMBIE Attaque 1755
GAROUZUS Attaque 1800
LE QUINTUPLE COUP DE SABRE !!!
ZBAAA

BAM
VOILÀ ! J'AI RÉUSSI !!!
HE HE HE...
TU AS LA MÉMOIRE COURTE ! TU AS DÉJÀ OUBLIÉ LA CARTE DE MAGIE ?!
L'APPEL DES MORTS VIVANTS
Ce sort fait ressusciter tous les monstres tués par l'ennemi en les transformant en zombies. Le pouvoir de l'immortalité les met à l'abri de toutes sortes d'attaques et ils gardent quand même la caractéristique d'une carte fantôme.
ZRUU ZRUU

ZLUP
ZLUP
"L'APPEL DES MORTS VIVANTS !!!

KLAAKS

!?
IL A ENCORE RES-SUS-CITÉ !!

J'OUBLIAIS... À CHAQUE RÉSURRECTION, SON NIVEAU D'ATTAQUE PROGRESSE DE 10 %...

ZRUU
ZRUU
COM-MENT ?!

!!
"GAROU-ZUS" EST DÉTRUIT !!!
UNE PETITE ACROBATIE POUR T'ENVOYER EN ENFER !!
L'ATTAQUE DE "MURDER CIRCUS ZOMBIE" !!!
SHUUUU
ZDODOOM
JÔNO-UCHI points de vie 1530
Attaque + 10% 1755+135 1890
TU AS TOUT COMPRIS... HÉ HÉ !
C'EST BIEN ÇA...
MÊME EN LES TUANT, ILS REVIENNENT AVEC 10% DE PUISSANCE SUPPLÉMENTAIRE... LES IMMORTELS MONSTERS ZOMBIES !!
...
QU'EST-CE QUE JE PEUX FAIRE CONTRE UN TEL ADVERSAIRE ?
ÇA VOUDRAIT DIRE QUE JE N'AI AUCUN MOYEN POUR GAGNER !!
SI JE PERDS MES ÉTOILES, TOUT EST FINI POUR MOI...
ZRUU

C'EST ICI QUE JE VAIS TOUT PERDRE ...?
UN LOOSER ...
JÔNO-UCHI ! TES YEUX NE REFLÈTENT PLUS QUE LA DÉFAITE... TU N'ES QU'UN LOOSER !
UN LOOSER ...
UN LOOSER ...
MERDE... JE NE DOIS PAS PERDRE ...
JE NE VEUX PAS PERDRE !!!
VLAF
JE DOIS CROIRE EN MOI ET GAGNER !
JE NE PEUX PAS VOIR MES AMIS AVEC UNE FACE DE LOOSER !!
JE MISE SUR CETTE CARTE !!!
SWAP
!

BIEN !!
CELLE QU'IL ME FALLAIT ...!
POUR LE MOMENT, LE "CHEVALIER DES FLAMMES" EST DANS LE JEU ET SON ATTAQUE NE SERVIRA À RIEN...
MAIS AVEC LE SORT DU MAGICIEN DU TEMPS", J'AI UNE CHANCE DE LES PROJETER DANS LE TEMPS ET DE M'EN DÉBARRASSER !!
BLAM
LE MAGICIEN DU TEMPS
LE MAGICIEN DU TEMPS !!!
EN AVANT !!!
LE MAGICIEN DU TEMPS !!
SPOM
HEIN ...?
LE MAGI-CIEN DU TEMPS ...!!
GROOO

J'AURAIS PAS CRU QU'IL PUISSE AVOIR UNE TELLE CARTE...
SI SON SORT DE MAGIE FONCTIONNE, LA TROUPE DE ZOMBIES RISQUE D'ÊTRE DÉTRUITE !!
LA ROULETTE DU TEMPS !!!
LE JUGEMENT DE LA ROULETTE
GAGNÉ
Il porte un sort de magie temporelle sur l'adversaire
PERDU
Autodestruction
KLUP
KLUP
GAGNE
GAGNE
KLUP
KLUP
MAGICIEN DU TEMPS", JE COMPTE SUR TOI !!
.....!!
KLUP
KLUP
GAGNE
GAGNE
KTOC
GAGNE
GAGNE
L'AIGUILLE VA S'ARRÊTER !!!
GAGNE
SRRR

BLAM
RATÉ !!!
GAGNÉ
QUOI !...!
C'EST RATÉ ?!
UN TOURBILLON DU TEMPS VIENT D'APPARAÎTRE DANS L'AIR !
GROOO
GROOOO
QUAND ON PERD À LA ROULETTE, C'EST L'AUTO-DESTRUCTION !!!
NE ME LAISSEZ PAS !!
LE "MAGICIEN DU TEMPS" ET LE "CHEVALIER DES FLAMMES", QUI SONT DANS LE JEU, SE FONT ASPIRER DANS LE TOURBILLON !!

LA MOITIE DE LA SOMME DES POINTS D'ATTAQUE EST SOUSTRAITE DES POINTS DE VIE DU PERDANT...
...
JÔNO-UCHI Points de vie 630

DOM
WA HA HA !! TROP DRÔLE ! IL S'EST FOUTU EN L'AIR TOUT SEUL !!
BIEN ENTENDU, MES ZOMBIES SONT INTACTS.

BON ...
TU DEVRAIS METTRE DES MONSTRES EN JEU.
MES ZOMBIES VONT S'EN RÉGALER ...
KURPS...

EUH...
IL NE ME RESTE AUCUNE SOLUTION...

LE "CHASSEUR DE MONSTRES" JE LE PLACE EN POSITION DE DÉFENSE...

DRAGON ZOMBIE, VAS-Y !
ATTENDS !!!

HEIN ?

MÊME SI TU LE DÉTRUIS, ÇA NE LUI ENLÈVERA PAS BEAUCOUP DE POINTS...
IL FAUT EN SORTIR UNE AUTRE.
IL FAUT À TOUT PRIX RENFORCER LA TROUPE DE ZOMBIES !

HÉ, TOI ! TU N'ARRÊTES PAS DE LUI DONNER DES CONSEILS DEPUIS TOUT À L'HEURE !
QUI ES-TU ?!

QUI, MOI ?
JE SUIS BANDIT KIERCE !
TU NE ME CONNAIS PAS ? IL FUT UN TEMPS OÙ, FIDÈLE À MA RÉPUTATION, JE RAFLAIS TOUTES LES PRIMES ENGAGÉES AUX USA...
BANDIT KIERCE... ÇA ME DIT QUELQUE CHOSE...
AH !
!!

PAS LUI ...?
LE CHASSEUR DE PRIMES DONT PARLAIT KAIBA ET QUI A DÉFIÉ PEGASUS !!
UN EXPERT EN CARTES QUI, JUSQU'AU DUEL CONTRE PEGASUS, AVAIT LA RÉPUTATION D'ÊTRE INVAINCU !!

ET C'EST CE MEC QUI LUI DONNE DES CONSEILS !
J'SUIS MAUDIT ! JE N'AVAIS AUCUNE CHANCE DEPUIS LE DÉBUT !!
ZRUU
ZRUU

TU DEVRAIS ABANDONNER, CE N'EST PAS DE VEINE D'ÊTRE TOMBÉ SUR NOUS...
JE SUIS CHARGÉ D'ÉLABORER DES PLANS D'ATTAQUE POUR LES FAIRE GAGNER !
TU PEUX TOUJOURS TE DÉBATTRE, TU NE GAGNERAS PAS...

APRÈS TA DÉFAITE, TRANSMETS CE MESSAGE À TON POTE YÛGI !
NOUS SERONS LES QUATRE SEULS JOUEURS À ENTRER AU CHÂTEAU !
HA HA HA
KURPS..

AUTRE CHOSE... CEUX QUE J'AI BATTUS JUSQU'À CE JOUR NE REJOUENT JAMAIS AUX CARTES...
TU DEVINES POURQUOI ?
JE LEUR INFLIGE UNE TELLE PEUR QUE CE TRAUMATISME EST ANCRÉ AU PLUS PROFOND D'EUX !
KRUP KRUP...

C'EST TON DERNIER JOUR... LES CARTES, C'EST FINI POUR TOI...
LA CARTE DU "GHOST KING" !
VLAF
T'AS COMPRIS ?!
GHOST KING PAMPOUKING
Attaque 1500
Défense 2000
GROOO
GROOO
MAIS, C'EST...
GROO
GROOO

DONG
LE ROI DES FANTÔMES DU CIMETIÈRE "PAMPOUKING" !!
IL CHARGE EN LUI UNE DOSE DE "PLASMA REIKON" QUI EST L'ÉNERGIE À L'ORIGINE DE LA PUISSANCE DES MONSTRES FANTÔMES.
À CHAQUE TOUR JOUÉ, IL AJOUTE 10% DE PUISSANCE SUPPLÉMENTAIRE AUX MONSTRES EN JEU !!
LA PUISSANCE DU TABLEAU DU CIMETIÈRE
Attaque 1950
Défense 2600
GROOO
GROOO
ZRUU
À CHAQUE TOUR, ILS SE RENFORCENT !!
SUR CE TOUR, PAMPOUKING SE CHARGE EN ÉNERGIE !!
LES MONSTRES ZOMBIES SE RENFORCENT ET GRANDISSENT !
MURDER CIRCUS ZOMBIE Attaque 2025
DRAGON ZOMBIE Attaque 2240
YOROI MUSHA ZOMBIE Attaque 2100
ZRUU
ZRUU

DRAGON ZOMBIE PASSE À L'ATTAQUE !!
"LE SOUFFLE MORTEL DU ZOMBIE" !!!
ZGROOO
WOOW
LE "CHASSEUR DE MONSTRES" EST DÉTRUIT !!
DRAGON ZOMBIE Attaque 2240
ZDOOODOOO
MAUVAIS...
ÉHÉ HÉ HÉ
À MOI DE JOUER !!
GLOUNKS
GLOUNKS
MA PROCHAINE CARTE AUSSI EST EN POSITION DE DÉFENSE !!
VLAF
MES MONSTRES AUGMENTENT LEUR PUISSANCE !!
DRAGON ZOMBIE Attaque 2400

ZVOOOOOOM
"LE SOUFFLE MORTEL DU ZOMBIE" !!!
ZDOOOO
URP...
DE-MENT...
PARFAIT ! LE COMBO DE MON BOSS EST GÉNIAL !!
GROO
GROO
GRÂCE AU POUVOIR DE "L'APPEL DES MORTS VIVANTS", ILS DEVIENNENT DES ZOMBIES IMMORTELS...
... ET ILS SE RENFORCENT SANS LIMITE GRÂCE À PAMPOUKING !!
VLAF
JE METS "GLASSMAN" EN DÉFENSE...
NON... C'EST PAS TOUT...
EN TIRANT LA CARTE QUI EMPÊCHE LA DÉFENSE, ON OBTIENT UN COMBO ABSOLU !!
ET ÇA SERA DÉFINITIVEMENT TERMINÉ POUR LUI !
ZGROOOOOOO
'EST... C'EST A FIN...
"GLASSMAN" EST DÉTRUIT !!!

JE SUIS INCAPABLE DE GAGNER ...!!
YUGI...
YUGI!!!
JÔNO-UCHI...!!
KAASH

DOM
GROOO
YUGI ...!
IL N'EST PAS PAR LÀ...
GROO
GROO
!!
GROO
UNE ROTTE ...

!!
JÔNO-UCHI...!
PAR ICI !!
DASH
YÛGI !!!
FTAP
FTAP
JÔNO-UCHI, TU NE DOIS PAS CAPITULER !!!
ZDOOO DOOM
DANS TOUTES LES SITUATIONS...
DANS TOUTES LES SITUATIONS, IL RESTE TOUJOURS UNE SOLUTION !!
DRAGON ZOMBIE Attaque 2720
YUGI !!!

JÔNO-UCHI, TU NE DOIS PAS CAPITULER !!!
IL Y A TOUJOURS UN MOYEN DE GAGNER !!!
PAR ICI !
YÛGI...
TU SAIS OÙ SE TROUVE JÔNO-UCHI ?!
PAS VRAIMENT... C'EST PAS TRÈS CLAIR...
MAIS J'AI EU UNE BRÈVE VISION DE LUI DANS UNE GROTTE !!
DANS UNE GROTTE ?!
STAP

Battle 91 LA FIN DE L'IMMORTALITÉ ?!

!
RE-GAR-DE !
IL Y A UNE ENTRÉE LÀ-BAS !!!
C'EST ICI...
JÔNO-UCHI, ATTENDS, ON ARRIVE !!!

Battle 91 LA FIN DE L'IMMORTALITÉ ?!

CETTE FOIS, JE MISE SUR CES CARTES !!

LE SUPERGUERRIER ALTIMETER ★★★★
Attaque 700
Défense 1000

RED EYES BLACK DRAGON ★★★★★★★
Attaque 2400
Défense 2000

UN BOUCLIER À LA MAIN DROITE ET UN GLAIVE DANS LA MAIN GAUCHE (CARTE DE MAGIE)

LE BOOMERANG ENCHAÎNÉ
Elle s'actionne quand

Les cartes que Jôno-Uchi va utiliser dans cet épisode sont inspirées des idées des lecteurs suivants ;
Du département d'Osaka, Moriuchi (13 ans)
Du département de Chiba, Watanabe (25 ans)
Du département de Nagasaki, Hashida S (13 ans)

L'ATTAQUE DU DRAGON ZOMBIE !!
"LE SOUFFLE MORTEL DU ZOMBIE" !!!
ZGROOO
URPS...
LE MONSTRE QUE JÔNO-UCHI A PLACÉ EN DÉFENSE EST DÉTRUIT !
DRAGON ZOMBIE Attaque 2720
JÔNO-UCHI Points de vie 630
C'EST FINI POUR MOI...
JE N'AI PLUS AUCUN MOYEN DE GAGNER...
JE PLACE ÉGALEMENT "TIGER AXE" EN DÉFENSE...
ZRUU
KERPS...
TU FAIS PITIÉ ! T'ES PATHÉTIQUE !
TU PEUX TOUJOURS PLACER DES MONSTRES EN DÉFENSE, LES MIENS SE RENFORCENT À CHAQUE TOUR...
TU AS PERDU !! LAISSE TOMBER !!
GHOST KOTSUZUKA Points de vie 1350

...!
C'EST VRAI QUE MES EFFORTS NE SERVENT PAS À GRAND-CHOSE...!
QU'EST-CE QUE JE PEUX FAIRE AVEC MES CARTES... ES MONSTRES ONT DES RESSOURCES NÉPUISABLES, ILS SONT TROP FORTS...
ZRUU
ZRUU
ZRUU
PAMPOUKING
Attaque 1950
Défense 2600
JE N'AI PAS D'AUTRE CHOIX QUE E JOUER LA MONTRE EN ES PLAÇANT N "DÉFENSE" !!
YOROI MUSHA ZOMBIE
Attaque
2550
DRAGON ZOMBIE
Attaque
2720
MURDER CIRCUS ZOMBIE
Attaque
2430
IL NE TIENDRA PAS LONG-TEMPS.
IL IGNORE QU'ON A UNE CARTE DE MAGIE QUI ATTEND SAGEMENT D'INTER-VENIR...
AU MOMENT OÙ ELLE ENTRE DANS LE JEU, C'EST FINI POUR LUI !
KRUU KRUU...
GLOUP
T'ES PRÊT ? C'EST À MOI DE JOUER !!!

DONG
CARTE PIÈGE QUI SUPPRIME LA DÉFENSE
HYA-WOOOOW ! JE L'AI !!
HYII...
J'AI TIRÉ LA CARTE QUI ANNULE LA DÉFENSE !!!

HÉ HÉ...
C'EST GAGNÉ...

!!
ANNULER LA DÉFENSE ...?!!

HÉ HÉ... SUR CE TOUR, JE LAISSE LA CARTE PIÈGE RETOURNÉE SUR LE JEU...
CETTE CARTE SE DÉCLEN-CHERA QUAND TU METTRAS UNE CARTE EN DÉFENSE !
AU PROCHAIN TOUR, TU NE POURRAS PLUS METTRE TES MONSTRES EN POSITION DE DÉFENSE...
...
C'EST TOUJOURS À MOI DE JOUER !!

"PAMPOUKING" ALIMENTE LES MONSTRES EN JEU AVEC DU "PLASMA REIKON" !!
ZDOOOO
LA TROUPE DE ZOMBIES VIENT ENCORE DE SE RENFORCER !!!
YAHOOOOO !!!
ALLEZ-Y, MES INVINCIBLES MONSTRES !!
GROO
GLOUP
GROOOO
VOUS ALLEZ ANÉANTIR CES MONSTRES TROUILLARDS !!
GROO
MURDER CIRCUS ZOMBIE Attaque 2565
DRAGON ZOMBIE Attaque 2880
YOROI MUSHA ZOMBIE Attaque 2700
"LE SOUFFLE MORTEL DU ZOMBIE" !!!
ZGROOOOF
!!
JÔNO-UCHI Points de vie 630

HA HA HA !! JÔNO-UCHI, TU ES FOUTU !!
EN PLUS, IL Y A UNE CARTE PIÈGE QUI T'ATTEND !
QUAND TU VAS DIRE "DÉFENSE", TU VAS MOURIR !

ALLEZ ! TU VAS BIENTÔT POUVOIR TE REPOSER !!
JÔNO-UCHI...
KRUU KRUU...
...!
C'EST LA FIN...

YÛGI...

STAP
JÔNO-UCHI !!?

CETTE GROTTE EST UN VÉRITABLE LABYRIN-THE... ÇA CRAINT !
IL Y A ENCORE UN AUTRE EMBRAN-CHEMENT ICI...

JÔNO-UCHI!!!
UHM...

JÔNO-UCHI !
PAR LÀ, C'EST BOUCHE !

PLOCS
!!

KYAA...
UN... UN SQUELETTE...
MAIS... MAIS OÙ SOMMES-NOUS...?

ÇA PUE !!!
SI JÔNO-UCHI EST EN TRAIN DE FAIRE UN DUEL ICI... ÇA RISQUE DE MAL DÉLIRER POUR SA FACE...!!
ON DOIT À TOUT PRIX LE RETROUVER !
JÔNO-UCHI !

JÔNO-UCHI, QUELLE QUE SOIT LA SITUATION, TU DOIS TENIR BON !!
SI TU SURMONTES L'OBSCURITÉ DE LA GROTTE DE TON ÂME, TU VERRAS, LA LUMIÈRE REVIENDRA À TOI !

SOUVIENS-TOI DE NOTRE PACTE !!

NOUS DEVONS, NOUS DIRIGER ENSEMBLE VERS LA VICTOIRE !
ON DOIT SECOURIR MON GRAND-PÈRE ET SAUVER LES YEUX DE TA SOEUR !
!!
YUGI !!
JE N'ABANDONNERAI PAS !!
J'IRAI JUSQU'AU BOUT...
VLAF
J'AI UNE CHOSE IMPORTANTE À DÉFENDRE !!
JE GAGNERAI SEUL !!

MA CARTE EST CELLE DU "RED EYES BLACK DRAGON" !!!
ZDOODOOOM
RED EYES BLACK DRAGON
Attaque 2400
Défense 2000
ZRUU ZRUU
COMMENT ?!
LE RED EYES BLACK DRA-GON !
COMMENT CE MORVEUX POSSÈDE-T-IL UNE CARTE AUSSI RARE...?!
HÉ ! J'AI RIEN À PERDRE, JE VAIS ARRÊTER DE FUIR...
SI JE NE PEUX PAS ME PROTÉGER EN ME METTANT EN "DÉFENSE", JE VAIS ATTAQUER JUSQU'AU BOUT !
RED EYES !!!
ÉCRASE-MOI CES VIEILLES CITROUILLES !!!
ZDOOODOO
RED EYES BLACK DRAGON
Attaque
2400
T'ES PRÊT ?!
QUOI ...?
PAS BON POUR MOI !! IL A UN NIVEAU D'ATTAQUE SUPÉRIEUR AU MIEN...
PAMPOUKING
Attaque
1950

ZBAAAAAAM
KOKU-ENDAN !!!
PAM-POUKING EST CARBO-NISÉ !
A MOI DE JOUER !
KERPS... L'ABRUTI ...
MA TROUPE EST SUFFISAMMENT FORTE MAINTENANT !
ZRUU ZRUU
DRAGON ZOMBIE ! TU VAS CONTRE-ATTAQUER !!!
BIEN !!!
AU MOINS, JE SUIS SÛR QU'ILS N'AUG-MENTE-RONT PLUS LEUR PUISSAN-CE !!
KURKS...
PAMPOUKING EST À L'ORIGINE UN MONSTRE DE LA CATÉGORIE DES FANTÔMES... IL NE PEUT PAS PROFITER DU POUVOIR DE "L'APPEL DES MORTS VIVANTS"...!
GHOST KOTSUZUKA Points de vie 900

RED EYES ! VA EN ENFER !!!
GROOOOO
RED EYES BLACK DRAGON EST MORT !!
RED EYES BLACK DRAGON
Attaque
2400
DRAGON ZOMBIE
Attaque
2880
ZUM
MA CARTE LA PLUS PUISSANTE... ELLE VIENT DE DISPARAITRE ...!!
JÔNO-UCHI
Points de vie
150
ZRUU
ZRUU
JE N'AI QUE TROIS CARTES EN MAIN...
EN PLUS, JE N'AI QUE LE "SUPERGUERRIER ALTIMETER" QUI PUISSE ATTAQUER... CE N'EST PAS VRAIMENT LE PLUS FORT...!!
GUERRIER ALTIMETER
Attaque 700
Défense 1000
LE BOOMERANG ENCHAÎNÉ
CARTE PIÈGE
Elle se déclenche au mot "attaque"
Saramandora donne de sa puissance à une épée de feu. L'attaque se renforce de 700 points.
QUE FAIRE ...?!
WAH HA HA !
JÔNO-UCHI, JE CROIS QUE C'EST LA FIN !

ÇA VA PAS... JE N'AI PAS DE CARTE POUR LES CONTRER...
SUPERGUERRIER ALTIMETER
MURDER CIRCUS ZOMBIE Attaque 2565
DRAGON ZOMBIE Attaque 2880
YOROI MUSHA ZOMBIE Attaque 2700
ET EN PLUS, JE NE PEUX PAS ME METTRE EN DÉFENSE...
CETTE FOIS, C'EST LA FIN...!
ALORS MORVEUX ! TU LA SORS, TA CARTE ?!
LOOSER...
QUOI ? IL A DIT "LOOSER" ...? ...?
ESPÈCE DE LOOSER !!!
GRR...
IL SE FOUT DE MOI...
JE NE ...
... SUIS PAS UN LOOSER !!!
VLAF

MAIS... CETTE CARTE ?!
BLAM
UN BOUCLIER À LA MAIN DROITE ET UN GLAIVE DANS LA MAIN GAUCHE (CARTE DE MAGIE)
Cette carte échange les niveaux de puissance d'attaque et de défense de chacun des monstres en jeu.
UNE CARTE DE MAGIE QUI INVERSE LES RAPPORTS DE FORCE...

ATTENDS...
LES MONSTRES ONT UN NIVEAU D'ATTAQUE ÉLEVÉ... SI AVEC CETTE CARTE, J'INVERSE LES NIVEAUX DE PUISSANCE... IL SE POURRAIT QUE...

JE VAIS PARIER LÀ-DESSUS, JE NE PERDS RIEN À ESSAYER...
ME VOILÀ !!!
JE PLACE CETTE CARTE EN ATTAQUE !!!
ET AUSSI CETTE CARTE MAÎTRESSE ...
LE SUPERGUERRIER ALTIMETER
Attaque 700
Défense 1000

ET UN SORT DE MAGIE POUR ÉCHANGER LES NIVEAUX D'ATTAQUE ET DE DÉFENSE !!
ZBAAAAAM
COM-MENT ...?!
"UN BOUCLIER À LA MAIN DROITE ET UN GLAIVE DANS LA MAIN GAUCHE" ...!!
HEIN ...?!
EUH...
GROO
MAIS...
GROOO
GROO
...C'EST...

DONG
LE NIVEAU D'ATTAQUE DE LA TROUPE EST PASSÉ À ZÉRO ?!
MURDER CIRCUS ZOMBIE Attaque 0 Défense 2565
DRAGON ZOMBIE Attaque 0 Défense 2880
YOROI MUSHA ZOMBIE Attaque 0 Défense 2700

PAS BON...
ZRUU
LES ZOMBIES DEVENUS IMMORTELS NE PRENNENT PAS D'INITIATIVES...! JE NE PEUX PAS LES METTRE EN POSITION DE "DÉFENSE" !! JE SUIS CONDAMNÉ À PASSER À L'ATTAQUE...!
MES ZOMBIES ONT UN NIVEAU DE DÉFENSE ÉQUIVALENT À ZÉRO !
À CAUSE DE SON SORT DE MAGIE, LES NIVEAUX DE DÉFENSE ET D'ATTAQUE ONT ÉTÉ INTERVERTIS...
EN CLAIR, L'ATTAQUE PASSE À ZÉRO.
ZRUU ZRUU
C'EST PAS POSSIBLE...? TOUS LES MONSTRES SE SONT MIS EN ATTAQUE...
GHOST KOTSUZUKA Points de vie 900

CE SORT S'APPLIQUE À TOUS LES MONSTRES EN JEU !!
ZDAAADAAA
ÇA VEUT DIRE QUE MES NIVEAUX DE PUISSANCE SE SONT INVERSÉS !!
PRÊT ?!
SALOPERIE DE ZOMBIE !!!
HYiii
ZDOOOM
SUPERGUERRIER ALTIMETER
Attaque 700
Défense 1000
SUPERGUERRIER ALTIMETER
Attaque 1000
Défense 700
ALTIMETER SCREW KNUCKLE !!!
DRAGON ZOMBIE EST DÉTRUIT !!!

PFFH...
DES ZOMBIES QUI ONT UN NIVEAU D'ATTAQUE DE ZÉRO NE PEUVENT PAS RESSUSCITER...
GHOST KOTSUZUKA !! TU AS PERDU !!

ZOMB
J'AI PERDU...
GHOST KOTSUZUKA
Points de vie
0

...
JE VIENS DE GAGNER...

REGARDEZ !!
IL Y A UNE BATTLE BOX LÀ-BAS !

JÔNO-UCHI...!
IL A L'AIR COMPLÈTEMENT VIDE... IL A DÛ PERDRE LA PARTIE...?
POUAH~...

JÔNO-UCHI !!!

YÛGI...
MES AMIS !

JE L'AI FAIT... OUI, J'AI GAGNÉ TOUT SEUL...
MÊME SI C'ÉTAIT ENCORE UN COUP DE CHANCE...
JÔNO-UCHI !

JÔNO-UCHI...

JÔNO-UCHI
8 étoiles

Battle 92
LE LABYRINTHE INFERNAL !!

YÛGI !! MES AMIS !! J'AI GAGNE !
JÔNO-UCHI
8 étoiles

JÔNO-UCHI !

VOUS AURIEZ DU VOIR ÇA !!
J'AI RENVERSÉ LA SITUATION AVEC UN COMBO DE LA MORT !!
IL A RÉCUPÉRÉ 8 ÉTOILES...
MÊME AVEC DE LA CHANCE, C'EST BIEN !

JÔNO-UCH AUTANT DE CHANCE EN SI PEU DE TEMPS, ÇA LAISSE SONGEUR.
SI ÇA SE TROUVE, TU EN AS ABUSÉ POUR LE RESTANT DE TES JOURS...!
ARRÊTE !!!

JE NE CROIS PAS QUE CE SOIT LA SEULE CHOSE QUI L'AIT AIDÉ À GAGNER...

UNE FORTE VOLONTÉ DE GAGNER... MAIS AUSSI, LE SENS DU DEVOIR ET DE L'HONNEUR...

C'EST LA VÉRITABLE QUALITÉ DU DUELLISTE !!

KERPS
ON Y VA...

...!
PAS SI VITE ! BANDIT KIERCE !

...

GIRPS
LE FAMEUX CHASSEUR DE PRIMES AMÉRICAIN !!!
BANDIT KIERCE !!!
JÔNOUCHI...
TU T'ES BATTU CONTRE CE MEC ...?
PAS TOUT À FAIT... JE N'AI PAS DEMANDÉ À FAIRE CE DUEL...
ILS SONT IGNOBLES... ILS M'ONT ENTRAÎNÉ DE FORCE ICI...
ILS SE SONT TOUS JETÉS SUR MOI COMME UN TROUPEAU DE CHAROGNARDS...
ON A MÊME OSÉ ME FRAPPER !
BLAM
BANDIT KIERCE, SI TU VEUX CONTINUER À POURSUIVRE TA CARRIÈRE DE DUELLISTE, T'AS INTÉRÊT À ÊTRE RÉGLO QUAND TU VEUX ENGAGER UN DUEL !
KERPS
CE SALE GOSSE VEUT ME FAIRE LA MORALE ?!

UN DUEL "À LA RÉGULIÈRE"... TU ME FAIS TROP RIRE...
LE JEU DE CARTES CONSISTE ESSENTIEL-LEMENT À IMPRESSIONNER SON ADVERSAIRE.
T'ES NCORE TROP NAÏF POUR CE ONDE !!!

JÔNO-UCHI, ARRÊTE DE TE FIXER DES LIMITES !
LAISSE TOMBER TA MORALE À DEUX FRANCS !
ET TU VERRAS, L'ARGENT ET LA GLOIRE VIENDRONT À TOI !

BLAM

REGARDE LE STYLE !

COMMENT ?! DES TONNES DE JEUX DE CARTES DANS LE REVERS DE SA VESTE ?!!

DANS CES JEUX, IL Y A ABSOLUMENT TOUTES LES SORTES DE CARTES D'EXPERTS...
DES CARTES POUR GAGNER SUR OUS LES ABLEAUX ...

KIERCE ! IL ME SEMBLAIT QUE LE RÈGLEMENT INTERDISAIT D'APPORTER PLUS DE 40 CARTES SUR L'ÎLE ?!
C'EST VRAI !!
IL N'Y A QUE SUR LE BATEAU QU'ON POUVAIT POSSÉDER AUTANT DE CARTES !
JE NE SUIS PAS UN PARTICIPANT OFFICIEL...
CES RÈGLES NE S'APPLIQUENT PAS À MOI...
ON POUVAIT FAIRE DES ÉCHANGES SUR LE BATEAU... MAIS UNE FOIS ICI, ON SE FAISAIT CONFISQUER LES CARTES EXCÉDENTAIRES...
...
IL EST VRAIMENT IMMONDE !

SOUVIENS-TOI DE ÇA !
POUR MOI, TOUS LES MOYENS SONT BONS POUR ALLER AU CHÂTEAU !

GRRR
HA HA HA HA...
HE, BOSS !! ATTENDEZ-MOI !!
UHM ?
BANDIT KIERCE !

PETIT, TU ES UN COMIQUE, TU LE SAIS ?

KRUU
KRUU
KRUU

LA RÈGLE SUR CETTE ÎLE, C'EST LA FIERTÉ DU DUELLISTE !
N'OUBLIE PAS ÇA...

MMMH ! L'ORDU-RE !
JE M'OCCU-PERAI DE TON CAS !
ENFIN, C'EST CE QUE J'AIMERAIS LUI DIRE, MAIS IL EST TROP FORT POUR MOI...

J'AIMERAIS DEVENIR PLUS FORT...!!
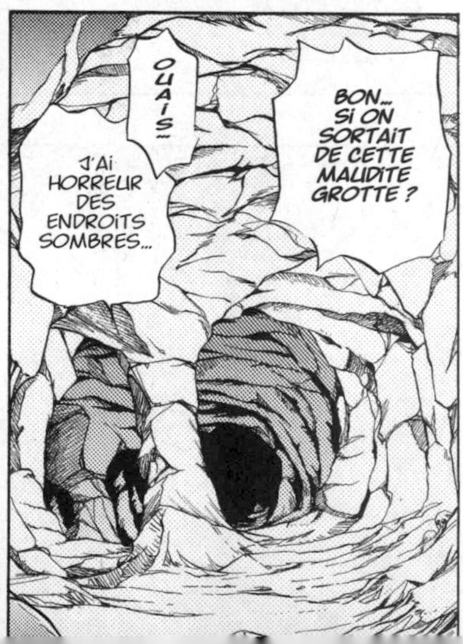
BON... SI ON SORTAIT DE CETTE MAUDITE GROTTE ?
OUAIS...
J'AI HORREUR DES ENDROITS SOMBRES...

YÛGI, TU AS 6 ÉTOILES.
MOI, J'EN AI 8 !
AU PROCHAIN DUEL, ON AURA PEUT-ÊTRE RÉCUPÉRÉ LES 10 ÉTOILES ?!
OUI !

AU PROCHAIN DUEL, ON EN AURA FINI AVEC LA COLLECTE D'ÉTOILES !!!
YES !
JE CROYAIS QUE C'ÉTAIT PAR ICI ?!
EN PRENANT À GAUCHE, ON DEVRAIT VOIR LA SORTIE !
!
ON VOIT LA SORTIE !!!
YOUPiiii !!!
JE VAIS ME FAIRE CARESSER PAR LE SOLEIL !
UH ...?! ...!!
ZGROO GROO
MAIS ...?!
GROO
GROO
!!
QUOI ?! LE PASSAGE EST EN TRAIN DE SE FERMER !!!

ゴゴゴ
GROO
GROOO
ALLEZ !
OUMF
ALLEZ, LES GARS, ENCORE UN PETIT EFFORT !
ZRAA
ZRAA
ZRAAAAA
WAH HA HA HA
IL N'Y A QU'UNE SORTIE !
ILS VONT PEUT-ÊTRE FINIR LEURS JOURS DANS CETTE SINISTRE GROTTE ?!
HYAA HA HA HA

!
C'EST LA FORM ?
BANDIT KIERCE ...!!

L'EN-FLURE !
TU NE RECULES DEVANT RIEN !!

LA RÈGLE SUR CETTE ÎLE, C'EST D'ÉCRASER SON ADVERSAIRE.
C'EST JUSTE MA FAÇON D'INTERPRÉTER LE RÈGLEMENT !

EN PLUS... MOINS IL Y A DE PARTICIPANTS, PLUS GRANDES SONT LES CHANCES DE REJOINDRE LE CHÂTEAU.
CETTE SITUATION M'ARRANGE BIEN...
VOUS VOUS RETROUVEREZ GAME OVER AU FOND DE CETTE GROTTE...
HA HA HA

!!
IL ME LE PAIERA...

BANDIT KIERCE !!!
JE T'ÉCLATERAI LA FACE !!!
BAM

C'EST ÇA, TU AS RAISON !
HE HE HÉ...
SALUT...

GLONGS

UHMM...!

CETTE ORDURE DE KIERCE ME LE PAIERA... QUAND JE SORTIRAI D'ICI !
JE L'ÉCLATERAI !

HAH
ÇA NE BOUGERA PLUS.
HAH
ILS VONT UN PEU LOIN...
HYA HA HA HA ! TROP COCASSE !!!
BON...
LA SUITE...
ZBOOOM
URGS...

ZBAM
ABRUTI !
T'AS PAS HONTE DE PERDRE CONTRE UN DÉBUTANT ?!
GLORPS

MAIS... J'AI RIEN...
JE... JE N'AI FAIT QUE...
J'AI JUSTE SUIVI TES INSTRUCTIONS...

GOSH
ALORS, TU N'AURAIS PAS DÛ PERDRE !!!
BOM SPAF

URGL...
TSCHH

TU AS PERDU TES ÉTOILES...
ON N'A PLUS BESOIN DE TOI ! T'AS QU'À CREVER ICI !
AH... BOSS...

ET VOUS, LÀ !!
VOUS AVEZ COMBIEN D'ÉTOILES ?
EUH, OUI !

J'EN AI 5...
MOI AUSSI, J'EN AI 5...

JE VOIS... ÇA FAIT DÉJÀ UNE ENTRÉE AU CHÂTEAU...

VOUS ALLEZ ME CONFIER VOS ÉTOILES !!!
COM-MENT ...?

VOUS AVEZ OUBLIÉ GRÂCE À QUI VOUS ÊTES ARRIVÉS JUSQU'ICI ?
TOUT ÇA, C'EST GRÂCE À MOI ! LE DIVIN BANDIT KIERCE !!

...

BIEN... VOUS ÊTES DES GENTILS GARÇONS... VOUS ALLE EN PROFITE POUR ME DONNER AUSSI LE BRACELET

C'EST ICI QUE NOS CHEMINS SE SÉPARENT... HÉ HÉ...
ENFIN, TOUT SE PASSE COMME PRÉVU...

KRUU KRUU...
LES 10 ÉTOILES SANS QUE JE ME SOIS SALI LES MAINS !!
PEGASUS, TU PEUX TE TENIR TRANQUILLE, J'ARRIVE !!
JE N'AI JAMAIS OUBLIÉ L'HUMILIATION QUE TU M'AS FAIT SUBIR EN UTILISANT UN GAMIN !!
SBAM BOM BIM
URGL
HE HE HE
URRRH...
JE SERAI LE PREMIER À ENTRER AU CHÂTEAU !!
WAH HA HA !!
BANDIT KIERCE
10 étoiles
Se dirige vers le château

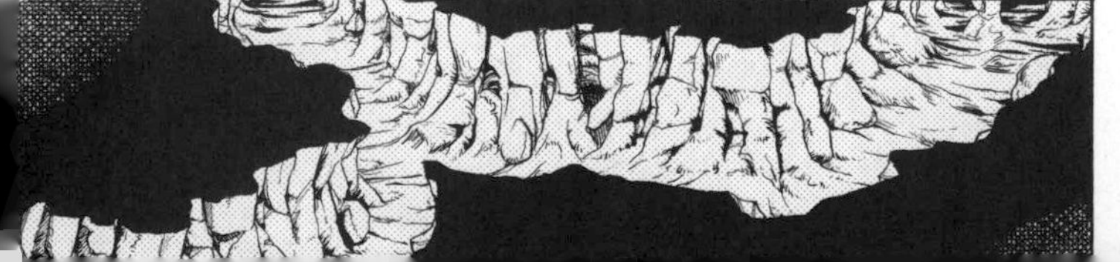

MMH...
UHMM !!!
NON ! IL NE BOUGE PAS D'UN POUCE...

ON N'A PAS D'AUTRE CHOIX QUE DE CHERCHER UNE AUTRE ISSUE...

À GAUCHE, C'EST LE CHEMIN QUI MÈNE VERS LA BATTLE BOX... JE CROIS QUE C'ÉTAIT UN CUL-DE-SAC...
VERS LA DROITE, C'EST LA DIRECTION DU CHÂTEAU !
BAKURA, COMMENT TU SAIS ÇA ?

C'EST... L'ANNEAU MILLÉNAIRE ...?
OUI...

GROO GROO

GROO
GROO

ON VA CONTINUE LE CHEMIN SUR LA DROITE...
AVEC L'ANNEAU MILLÉNAIRE, ON EST PRESQUE CERTAINS DE NE PAS SE PERDRE...

DANS LES AFFAIRES QUE MAÏ NOUS A LAISSÉES IL Y A UNE LAMPE !

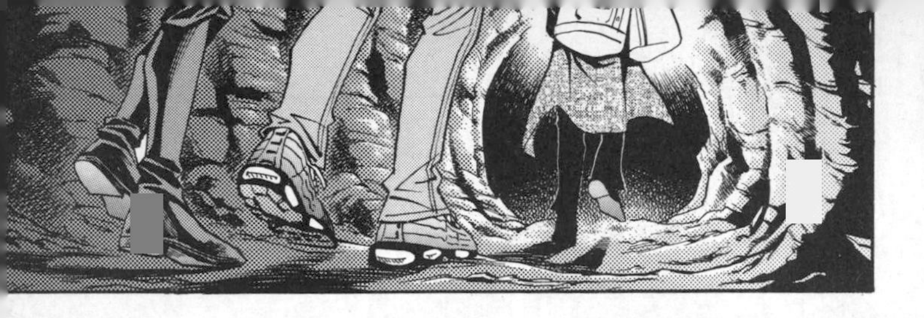

ON A PAS MAL MARCHÉ...
PAS L'OMBRE D'UNE ISSUE...
J'AI MÊME L'IMPRESSION QUE LE CHEMIN SE RÉTRÉCIT...

TOUT À L'HEURE, LES PAROIS ÉTAIENT RUGUEUSES...
VOUS N'AVEZ PAS L'IMPRESSION, QUE ÇA DEVIENT ARTIFICIEL ? LES PAROIS SONT LISSES COMME DES MURS...?

DONG!!
EH...
ON DIRAIT UN LABYRINTHE ?!!

C'EST QUOi ÇA ?!!
ON ARRiVE DANS UN HALL !!
UHM ?!
iL Y A QUEL-QU'UN ?!
SHUN
SHUN
STAP

STAP
STAP
C'EST QUI CES MECS-LÀ ?!!
ON EST DANS UN FILM D'ACTION "MADE IN HONG-KONG" ?!
VIOUF
!!
DONG
NOUS SOMMES LES GARDIENS DU DONJON SOUS-TERRAIN.
LES FRÈRES MEIKYÛ !!!
迷
"MEÏ" EN KANJI
宮
"KYÛ" EN KANJI

LES FRÈRES MEÏKYÛ ?!
HiHi

TU AS VU ÇA... DES GENS ÉGARÉS DANS LE SOUS-TERRAIN, C'EST RARE...
MAIS ENFIN... IL N'Y AURAIT PAS DE LABYRINTHE S'IL N'Y AVAIT PAS DES GENS POUR S'Y ÉGARER !

ILS ONT DES BRACELETS POUR LE DUEL...

ENCORE DES PLAYER KILLERS ...!!

LES ÉGARÉS... VOUS N'AVEZ PAS DE QUESTIONS À NOUS POSER ?
LE BON CHEMIN ?
LA BONNE PORTE ?

POUR AVOIR LA RÉPONSE...
... IL FAUDRA GAGNER LE DUEL !!
VLAN
MAIS C'EST ?!

ZDODOOOM
UNE TABLE DE DUEL !!!
AU FOND, IL Y A DEUX PORTES !!!

NOUS AVONS BESOIN DE DEUX DUELLIS-TES !
CE DUEL EST SPÉCIAL, ÇA SERA 2 CONTRE 2 !!!
2 CONTRE 2 ?!
ICORE UNE UVELLE ORME DE EU ?!

SI VOUS NOUS BATTEZ, ON VOUS INDIQUERA LE CHEMIN.
TOUTE TENTATIVE DE FUITE VOUS ENTRAÎNERAIT VERS UNE ERRANCE ÉTERNELLE !
ON N'A PAS LE CHOIX, ON DOIT ACCEPTER CE DUEL !!
ÇA NE ME POSE AUCUN PROBLÈME !!!
SI ON NE GAGNE PAS CE DUEL, ON NE SORT PAS DE LÀ !!
BLAM
LE TABLEAU DU LABYRINTHE !!!
LE TABLEAU DU LABYRIN-THE...?!
MAIS OÙ EST CE LABY-RINTHE ...?

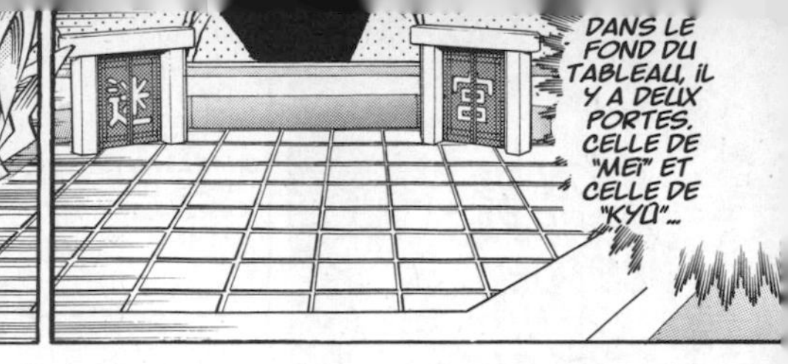
DANS LE FOND DU TABLEAU, IL Y A DEUX PORTES. CELLE DE "MEI" ET CELLE DE "KYÛ"...

ÇA VOUDRAIT DIRE QUE CHAQUE FRÈRE EST LE GARDIEN DE L'UNE DE CES PORTES...

"MEI" ET "KYÛ", LAQUELLE DE CES DEUX PORTES S'OUVRE SUR LA SORTIE...?
POUR LE SAVOIR...
... IL FAUDRA LES BATTRE EN DUEL !!

IL FAUT MISER DES ÉTOILES !!!

J'EN MISE 2 !
MOI, J'EN MISE 4...
EN TOUT, ÇA FERA 6 ÉTOILES !

EN-TEN-DU !!

JÔNOUCHI, ON Y VA !!
SI ON PASSE CETTE ÉPREUVE, ON AURA LES 10 ÉTOILES POUR ALLER AU CHÂTEAU !
OUAIS !

ÇA NE SERA PAS AUSSI SIMPLE...!! NOUS SOMMES LES FRÈRES MEIKYÛ, NOUS SOMMES DES PLAYER KILLERS ! MONSIEUR PEGASUS NOUS A ORDONNÉ DE TOUT FAIRE POUR QUE VOUS NE RESSORTIEZ PAS D'ICI !!!
LE DUEL PEUT COMMENCER !!
JE COMMENCE LE PREMIER.
JE METS CETTE CARTE DANS LE JEU !!
LES MURS DU LABYRINTHE
Elle fait apparaître des murs dans le jeu
Attaque 0
Défense 3000
ZGROOOOOW
MAIS... QU'EST-CE QUE...?
UN LABYRINTHE VIENT D'APPARAÎTRE DANS LE TABLEAU !!!
GROOOO
GROO
...!!
UN DUEL QUI DEVIENT INCERTAIN !!!

ZDOODOOOM
LE TABLEAU DU LABYRINTHE !!!
LES MURS DU LABYRINTHE
Elle fait apparaître des murs dans le jeu
Attaque 0
Défense 3000
AU FOND DE CE LABYRINTHE, IL Y A DEUX PORTES...
Battle 93
LE LABYRINTHE DE TOUS LES DANGERS !!

JÔNO-UCHI ! SI ON GAGNE, ON PEUT ALLER AU CHÂTEAU !!!
OUI !
ON Y FONCE TOUT DE SUITE !!!
BLAM
YÛGI 6 étoiles
Il en mise 4
JÔNO-UCHI 8 étoiles
Il mise 2 étoiles

BON COURAGE À TOUS LES DEUX !!
LES MECS ! VOUS DEVEZ GAGNER ET OUVRIR LA PORTE DE LA GLOIRE !!

ZRUU
ZRUU
NOUS SOMMES LES PLAYER KILLERS DU DONJON SOUS-TERRAIN !!
NOUS AVONS REÇU UN ORDRE DE M. PEGASUS, VOUS NE SORTIREZ JAMAIS D'ICI !!
ZRUU

CE DUEL EST UN MATCH DE DOUBLE SUR MAGIC AND WIZARDS !!
SURVIVRE OU MOURIR !
LES FRÈRES MEÏKYÛ
ZRUU
ZRUU
YÛGI ET JÔNO-UCHI
LES FRÈRES MEÏKYÛ...
SI ON NE LES BAT PAS, ON NE SORTIRA PAS D'ICI !!
LA VIE DE MES AMIS EN DÉPEND !!

JE VIENS DE FINIR MON TOUR... POU MÉMOIRE, JE VAIS VOUS RAPPELER LES RÈGLES DE CE JEU !

LES QUATRE JOUEURS ONT CHACUN 2000 POINTS.
SI L'UN DES JOUEURS DE L'ÉQUIPE PERD LA TOTALITÉ DE SES POINTS, L'ÉQUIPE EST DISQUALIFIÉE !

...!
SI JAMAIS JE N'ASSURE PAS, TOUS MES AMIS VONT EN SUBIR LES CONSÉ-QUENCES !

LE CHANGEMENT DE JOUEUR SE FAIT TOUR À TOUR.

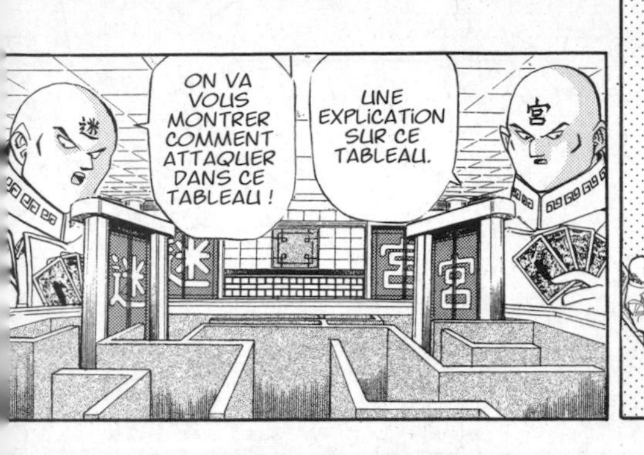
UNE EXPLICATION SUR CE TABLEAU.
ON VA VOUS MONTRER COMMENT ATTAQUER DANS CE TABLEAU !

CONSIDÉREZ VOS MONSTRES EN JEU COMME DES PIONS SUR UN ÉCHIQUIER...
LORSQUE VOUS PLACEREZ VOTRE MONSTRE EN ATTAQUE, VOUS DEVREZ LE FAIRE PROGRESSER DANS LE TABLEAU D'UN NOMBRE DE CASES ÉQUIVALENT AU NOMBRE D'ÉTOILES QUI FIGURE SUR LA CARTE.

JE VOIS... C'EST EN REMPORTANT LES DUELS QU'ON POURRA SORTIR DE CE LABYRINTHE...

VOUS DEVREZ SURVIVRE À LA TRAVERSÉE DE CE DONJON ET ENSUITE BATTRE L'UN DE NOUS DEUX, POUR ENFIN POUVOIR OUVRIR LA PORTE QUI VOUS CONDUIRA EN DEHORS !!
L'UNE DES DEUX PORTES EST LA BONNE !

LA PORTE "MEÏ" ?
OU BIEN LA PORTE "KYÛ"...?

L'UNE DES DEUX PORTES S'OUVRE SUR L'EXTÉRIEUR...
MAIS... LAQUELLE CHOISIR ...?!

BIEN ENTENDU, NOUS FERONS TOUT POUR PROTÉGER LES PORTES !
NOUS SOMMES LES GARDIENS DU DONJON SOUS-TERRAIN.

ASSEZ PLAISANTE ! NOUS, ON RISQUE NOS VIES ICI !!
C'EST LÂCHE DE NOUS LAISSER CHOISIR UNE PORTE AU HASARD !!
VOUS POURRIEZ AU MOINS NOUS FILER UN INDICE SUR LA BONNE PORTE !!

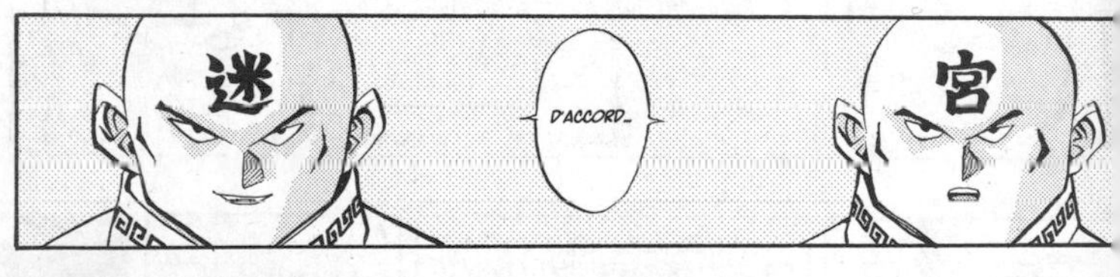
D'ACCORD...

TOUT DE SUITE...
L'UN DE NOUS DEUX NE DIRA QUE LA VÉRITÉ.
ET ON VA DÉCIDER QUE L'UN DES DEUX NE FERA QUE MENTIR.
!!

EH... J'ESPÈRE QUE CE QUE VOUS VENEZ DE DIRE EST "VRAI" ?

C'EST LA VÉRITÉ !!!
ZRU
ZRUU
ZRU

BON... LA BONNE ISSUE EST LA MIENNE, LA PORTE "KYÛ" !
NON, NON, LA PORTE "MEÏ" EST LA BONNE !

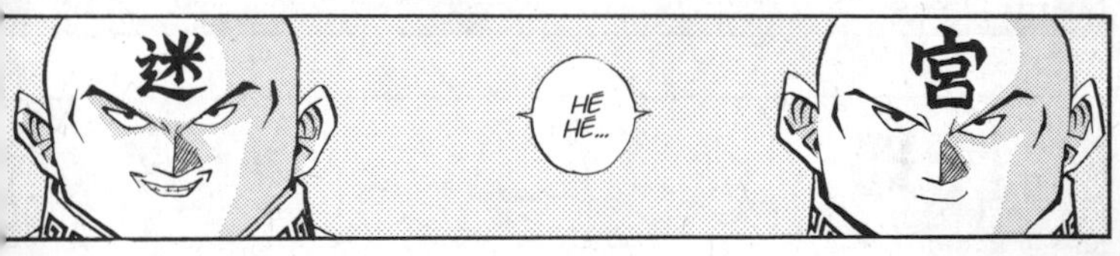
HÉ HÉ...

...?!
LEQUEL DES DEUX DIT LA VÉRITÉ...?
ATTENDS...!!
J'AI DÉJÀ ENTENDU UNE DEVINETTE DU MÊME GENRE...

IL ME SEMBLE QUE C'ÉTAIT ÇA... UN HOMME EST PLANTÉ À L'INTERSECTION DE DEUX CHEMINS. L'UN DES CHEMINS MÈNE AU VILLAGE DES MENTEURS ET L'AUTRE AU VILLAGE DE L'HONNÊTETÉ. MAIS AUCUN DES PASSANTS QUI LUI DEMANDENT SON CHEMIN NE SAIT DE QUEL VILLAGE VIENT CET HOMME...
L'HOMME QUI DEMANDE SON CHEMIN AIMERAIT ALLER AU VILLAGE DE L'HONNÊTETÉ... MAIS IL NE PEUT LUI POSER QU'UNE SEULE QUESTION.
QUELLE QUESTION LUI POSER...?

LA RÉPONSE EST...
"EST-CE QUE TU POURRAIS M'EMMENER DANS TON VILLAGE ?" !!!
S'IL EST HONNÊTE, IL L'EMMÈNERA DANS SON VILLAGE...
S'IL MENT, IL L'EMMÈNERA AUSSI AU VILLAGE DE L'HONNÊTETÉ...

HÉ ! VOUS DEUX !!!
RÉPONDEZ AUSSI À MA QUESTION !!!

KLOUP
D'AC-CORD...
ON VOUS ACCORDE UNE QUESTION PAR PERSONNE...

BIEN !!!
SI L'UNE DES PORTES EST LA BONNE... GUIDE-MOI VERS TA PORTE !
COMME ÇA, MÊME LE MENTEUR DEVRAIT M'INDIQUER LA BONNE PORTE !! PAS D'EMBROUILLE, JE DÉMASQUE LE MENTEUR !

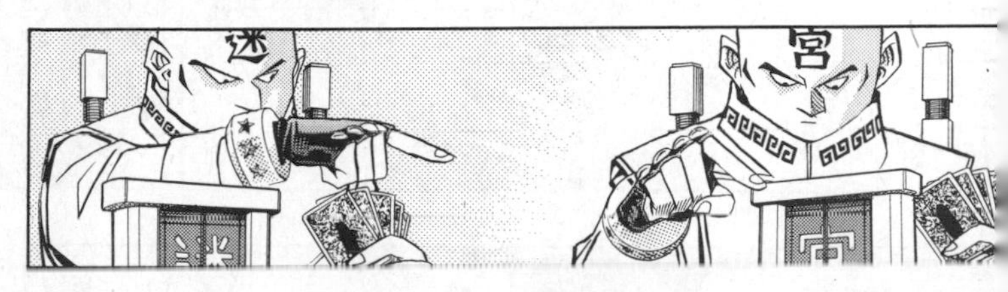

HA HA ! YÛGI ! C'EST BON !
LA BONNE PORTE EST CELLE DE "KYÛ"
C'EST MEÏ QUI EST LE MEN-TEUR !
SI ON CONNAÎT LA BONNE PORTE, C'EST DANS LA POCHE !

...
LA PORTE DE "KYÛ"... EST-CE QUE C'EST RÉELLE-MENT LA BONNE...?

QU'EST-CE QU'IL Y A ?
TU EN DOUTES ENCORE ?
D'UN CERTAIN CÔTÉ, TON ANALYSE EST LA BONNE...

MAIS !!!
MAIS EST-CE QU'ON PEUT CROIRE SI FACILEMENT CE QU'ILS DISENT ?
KRU KRUU
JE SUIS D'UNE NATURE SUSPICIEUSE...
YÛGI, EXPLIQUE-TOI !
SI L'UN DES DEUX EST UN MENTEUR, LA RÉPONSE EST CLAIRE, PAS VRAI ?
NON...
JE VEUX JUSTE TE METTRE EN GARDE : IL EST DANGEREUX DE FAIRE UNE COMPARAISON AVEC L'HISTOIRE DU VILLAGE !
EN PLUS, ILS ONT DIT UNE CHOSE CURIEUSE.
“L'UN DE NOUS DEUX NE DIRA QUE LA VÉRITÉ” ET “L'UN DES DEUX NE FERA QUE MENTIR”, CETTE FORMULATION ME PARAÎT SUSPECTE !
LA PRINCIPALE DIFFÉRENCE, C'EST QU'IL Y A DEUX HOMMES À L'INTERSECTION...
SI L'UN DES DEUX EST UN MENTEUR, LES DEUX DEVRAIENT DÉSIGNER CELUI QUI DIT LA VÉRITÉ.
RIEN NE DIT QU'ILS NE SONT PAS TOUS LES DEUX DES MENTEURS !!

HEIN ?!
DANS CE CAS...
ON N'EST MÊME PAS SÛRS QU'IL Y AIT UNE SORTIE AU BOUT !

宮
迷
ON VA QUAND MÊME CONTINUER LA PARTIE...
JE DÉCIDERAI QUELLE PORTE ON DOIT PRENDRE...

VONG
LA PARTIE CON-TINUE !!!
VLAF
À MON TOUR !!!
DANS TOUS LES CAS, IL FAUT ENTRER DANS LA PARTIE POUR LES BATTRE !!
GROO GROO
MA CARTE EST CELLE DE "RUIZ" !!!
JE LA PLACE EN "ATTA-QUE" !!
RUIZ
Attaque 1200
Défense 1500
ON N'A AUCUNE STRA-TÉGIE...
ON VA SE CONTENTER D'AVANCER NOS MONSTRES...
BON ! IL A 4 ÉTOILES !
RUIZ AVANCE DE QUATRE CASES !!
DOKI DOKI

MON TOUR EST TERMINÉ !!!
IL Y A UNE BONNE DISTANCE POUR ARRIVER AUX PORTES...
LA BAGARRE AURA LIEU CERTAINEMENT À MI-CHEMIN...
...
ZAP ZAP
JE N'EN SUIS PAS SI SÛR...
À MOI DE JOUER !!!
C'EST LE MOMENT DE LEUR MONTRER LA TERREUR DE CE LABYRINTHE !!!
JE SORS LA CARTE DE MAGIE "LA FUSION".
LA FUSION
JE FAIS FUSIONNER "LES MURS DU LABYRINTHE" ET "SHADOW GWUL" !
GROOO
SHADOW GWUL
Attaque 1600
Défense 1300
FUSION !!!
Attaque 0
Défense 3000
GROO
VLAM
ET JE FAIS UN COMBO AVEC LA CARTE DE "SHADOW GWUL"
MAIS... QU'EST-CE QUE ...?!

ZRA
ZRAAA
ZRAAA
UNE OMBRE SINISTRE EST EN TRAIN DE SE DIRIGER VERS NOUS !!
ZRAAA
ZRAA
ZRAAA
ZRAAA
...
ELLE EST RAPIDE !!!
ELLE SE RAPPROCHE DE RUIZ !! IL NE PEUT PAS S'ÉCHAPPER !!!
ZRUUU
ZRUUU
!!

ZBAAAAAM
ZRUU
ZRUU
ZRUU
WALL SHADOW Attaque 1600
UN ENNEMI VIENT DE SORTIR DU MUR !!
RUIZ Attaque 1200
LA MORTELLE FAUCILLE DU LABYRINTHE !!
RUIZ EST DÉTRUIT !!!
KYUUU
YÛGI Points de vie 1600
ET 'ENNEMI A AUSSITÔT DISPARU DANS LE MUR !!
"WALL SHADOW" !! IL SE DÉPLACE LIBREMENT DANS LE TABLEAU ET DÉCAPITE SON ADVERSAIRE D'UN COUP DE FAUCILLE !!
UN ENNEMI BIEN REDOU-TABLE !!!
ZRUU
ZRUU

IL EST IMPOSSIBLE DE SORTIR VIVANT DE CE LABYRINTHE !!!
VOUS ÊTES COMME PRISONNIERS DE LA TERRIBLE CRÉATURE INCARNÉE PAR LE LABYRINTHE...
LE "WALL SHADOW" EST LIBRE D'ATTAQUER TOUT ENNEMI QUI ENTRE DANS LE TABLEAU !!
TOUT À FAIT !!!
GRR...
VLAF
À MOI DE JOUER !!!
GROOO GROOO
JE PLACE "AXE RAIDER" EN POSITION D'ATTAQUE !!!
ET JE POSE UNE AUTRE CARTE MASQUÉE DANS LE JEU !!
AXE RAIDED
Attaque 1700
Défense 1150

MAIS IL EST IMPOSSIBLE D'ATTAQUER UN ENNEMI INVISIBLE... J NE VAIS PAS AVANCER DAN LES CASES PENDANT CE TOUR !
JE PRÉFÈRE GARDER MES DISTANCES !! JE VAIS ATTENDRE LOIN DES MURS : EN CAS D'ATTAQUE, JE SUIS PRÊT !

JÔNO-UCHI... C'EST UNE SAGE DÉCISION !
EN RESTANT ÉLOIGNÉ DES MURS, TU ÉVITERAS UNE ATTAQUE DIRECTE DU "WALL SHADOW" !!!

YÛGI ...!
J'AIMERAIS TE MONTRER MA FAÇON D'ÉLABORER UNE STRATÉGIE...

J'ESPÈRE QUE JÔNO-UCHI NE VA PAS FAIRE N'IMPORTE QUOI...
NE T'INQUIÈTE PAS ! YÛGI EST AVEC LUI POUR VEILLER SUR SON JEU !
日本の星
JE L'ESPÈRE... DANS UN MATCH EN DOUBLE, IL Y A DES CHANCES POUR QUE L'ENNEMI NE S'EN PRENNE QU'AU PAUVRE JÔNO-UCHI...

C'EST MON TOUR.
JE VAIS PLACER UNE CARTE PIÈGE DANS LE JEU...
SI CELUI QUI S'ENGAGE DANS LE LABYRINTHE TOMBE SUR L'UNE DES CASES DESSINÉES SUR LA CARTE... IL SAUTERA SUR UN MONSTRE EXPLOSIF...
L'ARAIGNÉE EXPLOSIVE (CARTE PIÈGE)
★★★★★
Si un monstre tombe sur l'une des cases indiquées, il devient la proie d'une araignée explosive. La victime perd également tous ses moyens de protection.
CE N'EST PAS TOUT !
VLAM

LE "CHAR DÉMONIAQUE DU LABYRINTHE" PASSE À L'ATTAQUE !!!
CHAR DÉMONIAQUE DU LABYRINTHE
Attaque 2400
Défense 2400
GROO GROO
GROO
HE HE... LE CHAR ET WALL SHADOW SONT PRÊTS À S'OCCUPER D'EUX !
IL EST IMPOSSIBLE DE S'ÉCHAPPER DU LABYRINTHE !!!

À MON TOUR !!

JE METS EN JEU LE "CHEVALIER ELFE" EN ATTAQUE !!!
CHEVALIER ELFE
J'AVANCE DANS LE LABY-RINTHE !!
VLAF
L'IDIOT ...!!
IL REFAIT LA MÊME ERREUR QUE TOUT À L'HEURE !!!
迷
À MOI DE JOUER !
SANS PLUS ATTENDRE, "WALL SHADOW" PASSE À L'ATTAQUE !!
ZRAAAA
L'OBJECTIF EST LE "CHEVALIER ELFE" !!
ZRAA
ZRAA

ZRAA ZRAA
!!
HE HE... IL EST IMPOSSIBLE DE LUI ÉCHAPPER ! "WALL SHADOW" PRENDRA RAPIDEMENT LE DESSUS SUR SON ENNEMI DÉSIGNÉ.
LE "CHEVALIER ELFE" EST PERDU !!
GWUAAAAAA
ÇA A PRIS...
HE HE ...
HEIN ...?!
COM-MENT ?!!!

LE BOOMERANG AVEC CHAÎNES !!!
SHAKiiiin
ZRUU
C'EST PAS POSSIBLE !! "WALL SHADOW" S'EST FAIT CAPTURER...
ZRUU
HA HA ! REGARDE BIEN ÇA !!
VOI-LÀ !
LE BOOMERANG AVEC CHAÎNES
CARTE PIÈGE

CETTE CARTE ME PERMET DE CAPTURER CELUI QUI M'ATTAQUE !!!
C'EST UNE CARTE PIÈGE POUR AIDER YÛGI !!
LE "CHEVALIER ELFE" PASSE À L'ATTAQUE !!!
NUOOOOW...
ZRUU ZRUU
ZBAAAAM
"WALL SHADOW" EST DÉTRUIT !!!
BOOMERANG AVEC CHAÎNES Attaque 500
CHEVALIER ELFE Attaque 1400
WALL SHADOW Attaque 1600
LES FRÈRES MEIKYU Points de vie 1700
YÛGI, ON Y VA !!
UN DUEL QUI UNIT NOS FORCES !!!

宮

LES ACTIONS COMBINÉES DE "BOOMERANG AVEC CHAÎNES", DU "CHEVALIER ELFE" ET D'"AXE RAIDER" ONT PULVÉRISÉ "WALL SHADOW" !!
AXE RAIDER ★★★★★★
Attaque 1700
Défense 1150
BOOMERANG AVEC CHAÎNES
CARTE PIÈGE
Elle s'active au moment où l'adversaire déclenche une attaque. Elle sert également d'armure et permet d'augmenter son niveau d'attaque de 500 points.
COL-LABO-RA-TION !
CHEVALIER ELFE ★★★★★★
Attaque 1400
Défense 1200
NUOOOW
SHADOW WALL ★★★★★
Attaque 1600
Défense 1300
LES FRÈRES MEIKYU
Points de vie
1700
UWOOOOSH !!!
YUGI, ON Y VA ! NOTRE ÉQUIPE EST IMPECCABLE, ON VA TOUS LES ÉCLATER !!
OUAIS !!!
Battle 94 LA MAGIE DU LABYRINTHE !!

Battle 94
LA MAGIE DU LABYRINTHE !!

JÔNO-UCHI, BIEN JOUÉ !
DOM
YÛGI !!!
IL SE DÉBROUILLE BIEN !!
DIS ? TU AS VU ? JÔNO-UCHI A AIDÉ YÛGI AVEC SA CARTE DE MAGIE !
OUI ! C'ÉTAIT UNE BELLE ACTION !
OUI !
日本の星
JÔNO-UCHI...
TU ES DEVENU UN MEC FORT !

SI ON GAGNE CETTE PARTIE, ON VA AU CHÂTEAU !!!
ON SE RAPPROCHE DE LA PORTE DE LA GLOIRE !!!
PAS SI VITE !!!
LES PIÈGES DU LABYRINTHE VONT VOUS CONDUIRE VERS LA DÉFAITE !!
ZRUU
ZRUU
JÔNO-UCHI Points de vie 2000
JÛGI Points de vie 1600
KYÛ Points de vie 2000
MEÏ Points de vie 1700

LES FRÈRES MEIKYÛ !! NOUS ALLONS LES BATTRE !!
GRÂCE À L'UNION DE NOS FORCES !!!
LA PARTIE CONTINUE !!!
C'EST AU TOUR DE JÔNOUCHI !!
VLAF
OUAIS !!!
J'AJOUTE LE "CHEVALIER DES FLAMMES" !!
LE CHEVALIER DES FLAMMES
Attaque 1800
Défense 1600
AVEC CE QUE J'AI EN JEU, ÇA RISQUE D'ÊTRE UN PEU LÉGER POUR COUVRIR YÛGI !!
BON !!!
ZRUU ZRUU

IL A RÉUNI TOUTES SES FORCES EN UNE SEULE...
ET JE TERMINE MON TOUR !!
"AXE RAIDER" A UTILISÉ LA CARTE DE MAGIE "BOOMERANG AVEC CHAÎNES". LE POUVOIR MAGIQUE DE LA CARTE A DISPARU MAIS MAINTENANT, ELLE LUI SERT DE PROTECTION ET ELLE AUGMENTE DE 500 POINTS LE NIVEAU DE PUISSANCE.
ET EN PLUS, JE VAIS RAPPROCHER "AXE RAIDER" DU "CHEVALIER DES FLAMMES" !!
LE CHEVALIER DES FLAMMES Attaque 1800
ZWA
ZWA
AXE RAIDER Attaque 1700 + BOOMERANG AVEC CHAÎNES 500 Attaque 2200
CHEVALIER ELFE Attaque 1400
À MOI DE JOUER !
ZDOOOOOOM
LE CHAR DU LABYRINTHE ★★★★★★★
Attaque 2400
Défense 2400
"LE CHAR DU LABY-RINTHE" PASSE À L'ATTA-QUE !!

VRUU
VRUU
VRUU
CE CHAR EST UNE ARME TUEUSE D'UNE TRÈS GRANDE PUISSANCE !!!
ILS NE VONT PAS TARDER À ÊTRE À LA PORTÉE DU CHAR !
ET CE N'EST PAS FINI !
SUR LEUR CHEMIN, IL Y A AUSSI DES MINES QUI SONT PRÊTES À EXPLOSER, MES ARAIGNÉES EXPLOSIVES...
VONT-ILS RÉUSSIR À DÉJOUER TOUS CES PIÈGES ?!
L'ARAIGNÉE EXPLOSIVE (CARTE PIÈGE)
★★★★★
Si un monstre tombe sur l'une des cases indiquées, il devient la proie d'une araignée explosive. La victime perd également tous ses moyens de protection.
ZRUU
ZRUU
VONT-ILS RÉUSSIR À ATTEINDRE LA PORTE ? HÉ HÉ...
ZRUU

À MON TOUR !

IL EST ÉVIDENT QU'ILS ONT DÛ PIÉGER NOTRE PARCOURS !!!
MAIS MERDE !! Y A PAS MOYEN DE SURVOLER TOUT ÇA POUR ALLER DIRECTEMENT À LA PORTE ?
MALHEU-REUSE-MENT, CE N'EST PAS POSSIBLE.
SUR CE TABLEAU, ON NE PEUT PAS UTILISER DE MONSTRE VOLANT !!
ON NE LE VOIT PAS, MAIS LE PLAFOND DÉTERMINE LES CARACTÉRIS-TIQUES DE CE TABLEAU DE L'OMBRE.

ALORS, JE NE PEUX MÊME PAS UTILISER MON "RED EYES DRAGON" ?
!
NON...
TU NE PEUX UTILISER QUE DES GUERRIERS, CHEVALIERS OU FANTAS-SINS... ON EST OBLIGÉS DE SE BATTRE À PIED !

POUR LE MOMENT, ON N'A PAS D'AUTRE CHOIX QUE D'AVANCER !

ZRUU ZRUU

MAIS IL RESTE DES CHOSES À FAIRE !!
MA CARTE EST...

BLACK MAGICIAN
BLACK MAGICIAN
Attaque 2500
Défense 2100
BLACK MAGI-CIAN !!!
JE LE METS EN ATTAQUE ET J'AVANCE.
ZRAA ZRAA
BLAM
GROO GROO GROO
ON A BIEN RENFORCÉ NOS POSITIONS ...
ÇA DEVRAIT FREINER UN PEU LEURS ARDEURS !!!
BON... QUE FAIRE MAINTE-NANT ?

EN RESSERRANT LEUR TROUPE, ILS COMPTENT PASSER EN FORCE POUR ARRIVER À LA PORTE...

VLAF
À MON TOUR !!!
EHE
MAIS ÇA NE SERVIRA À RIEN.
JE VAIS LEUR MONTRER CE QUE JE FAIS DE L'UNION DE LEURS FORCES !

VOILÀ MA CARTE !!!
!!
EURPS... C'EST ...!!
?

GROO
GROO
TRANSFORMATION DU LABYRINTHE
GROOO
GROO
GROOO
LE LABYRINTHE CHANGE D'ASPECT !!!
ZRUU
ZRUU
!!
NOTRE ÉQUIPE VIENT D'ÊTRE SÉPARÉE PAR UN NOUVEAU MUR !!
ZRUU

DONG
SAPRISTI !!!
NOTRE ÉQUIPE EST DIVISÉE !!!
OURPS !
VOILÀ, CHACUN DE VOUS EST MAINTE-NANT BIEN ISOLÉ !
AVEC CE MUR QUI VOUS SÉPARE, PLUS QUESTION DE VOUS ENTRAI-DER !
DANS CE GENRE DE MATCH EN DOUBLE, SI ON VOIT UN ADVERSAIRE QUI SE RETROUVE ISOLÉ... ON CONCENTRE NOS ATTAQUES SUR LE PLUS FAIBLE.
COMME PAR EXEMPLE...
...LUI !!!

À MOI DE JOUER !!!

POUR REJOINDRE YÛGI, IL Y A UNE BONNE DISTANCE À PARCOURIR...
TANT PIS, JE VAIS CONTINUER LA PROGRESSION TOUT SEUL...

"AXE RAIDER" ET "LE CHEVALIER DES FLAMMES" VONT AVANCER !!

ZWAP
ZWAP

ZWAP
ZWAP

HE HE...
宮

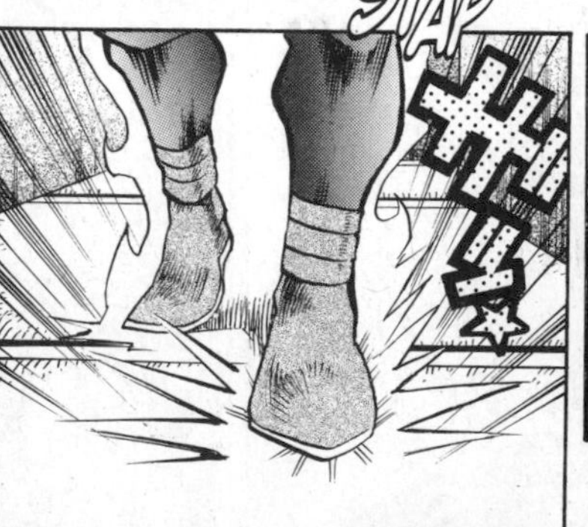
STAP

EN PLEIN DEDANS !!!

VLAF
ACTIVATION DE LA CARTE PIÈGE !
QUOI ?!
UN PIÈGE ...!!
L'ARAIGNÉE EXPLOSIVE (CARTE PIÈGE) ★★★★★
Si un monstre tombe sur l'une des cases indiquées, il devient la proie d'une araignée explosive. La victime perd également tous ses moyens de protection.
!!!
L'ARAIGNÉE EXPLOSIVE ATTAQUE "AXE RAIDER" !!
ZBAAA
ZGRAAA
ARAIGNÉE EXPLOSIVE
Attaque 2100
Défense 100

SCRAC
SCRAC
MERDE !!!
GORTCH
CRAC
JÔNO-UCHI
Points de vie
1600
SCRAAKS
AXE RAIDER EST DÉTRUIT !!!
AXE RAIDER
Attaque 1700
Défense 1150
JÔNO-UCHI !
ÔNO-UCHI !

HA HA HA
IL EST TOMBÉ DANS LE PIÈGE !

MAIS C'EST LOIN D'ÊTRE FINI !! ON VA CONCENTRER NOS ATTAQUES SUR JÔNO-UCHI !!
ON VA LE POUSSER À BOUT !
À MON TOUR !!!

UNE AUTRE ATTAQUE DU "CHAR DU LABYRINTHE" !!!
CHAR DU LABYRINTHE
Attaque 2400
Défense 2400
ZDOODOOM
HE HE... LE "CHEVALIER DES FLAMMES" EST À PORTÉE DE TIR DU CHAR !!
宮
ZDOO ZDOO
ZRUU ZRUU
ZDOO
AU TOUR SUIVANT, JE L'ÉLIMINE !!

URGL...
CHAR DU LABYRINTHE Attaque 2400
ARAIGNÉE EXPLOSIVE Attaque 2100
LE CHEVALIER NE POURRA PAS CONTENIR L'ATTAQUE COLLECTIVE, IL N'EST PAS ASSEZ PUISSANT POUR ÇA !!
CHEVALIER DES FLAMMES Attaque 1800
SI ÇA CONTINUE, LE CHEVALIER VA MOURIR...
JÔNO-UCHI !
JÔNO-UCHI !

IL A RAISON ...!
LE "BLACK MAGICIAN" DE YÛGI EST TROP ÉLOIGNÉ POUR LUI VENIR EN AIDE !
LE PION DE JÔNO-UCHI EST VOUÉ À LA MORT !
HÉ HÉ HÉ ...
C'EST À MOI DE JOUER !!!

HA HA HA
YÛGI ! LA SEULE CHOSE QUE TU PUISSES FAIRE, C'EST DE TE RONGER LES ONGLES EN REGARDANT TON AMI DISPARAÎTRE !
HE HE ...
CE N'EST PAS CERTAIN...
UHM ...?
COM-MENT ?
VOILÀ MA CARTE ...

COMBO
UNE CARTE DE MAGIE, LA "BOÎTE MAGIQUE DE LA MORT" !!!
BOÎTE MAGIQUE DE LA MORT
BLACK MAGICIAN
UN COMBO AVEC LE "BLACK MAGICIAN" !!!
BAM
QU'EST-CE QUE ...?!!

DONG
DES ÉPÉES ...?!
GLANG
...?! LE BLACK MAGICIAN A DISPARU DANS CETTE ESPÈCE DE CERCEUIL ...!!
ZBABAAAAAAA

IL SE FAIT LUI-MÊME TRANSPERCER PAR DES ÉPÉES ?!
NON, REGARDE !!!
HEIN ...?!
IL Y EN A UNE AUTRE !!!
IL Y A DEUX BOITES EN JEU... ET EN PLUS...
... JE NE VOIS PLUS L'ARAIGNÉE ...!!
LA BOITE EST EN TRAIN DE S'OUVRIR ...
...?!
GRIIII
BLAM
KI
L'ARAIGNÉE EST TRANSPERCÉE PAR DES ÉPÉES !!

URPS...
ZBAAAAA
ET LE "BLACK MAGICIAN" VIENT DE SUGIR DE L'AUTRE BOITE !!
LE BLACK MAGICIAN VIENT DE SE TÉLÉ-PORTER GRÂCE À LA BOITE !!
EH OUI ...
APRÈS S'ÊTRE DÉBARRASSÉ DE L'ENNEMI EN SE TÉLÉPORTANT, IL A ENCORE LA POSSIBILITÉ DE CONTRE-ATTAQUER !

YUGI !!!

BLACK MAGICIAN VA CONTRE-ATTAQUER !!!

LA MAGIE NOIRE !!!
GRAAASH
WOOOOÑ
BLACK MAGICIAN Attaque 2500
GRAAASH
LES FRÈRES MEIKYU (CADET) Points de vie 1600
CHAR DU LABYRINTHE Attaque 2400
LE "CHAR DU LABYRINTHE" EST DÉTRUIT !!
BIEN JOUÉ !!!
DÉSOLÉ, MAIS...
... RIEN NE RÉSISTE À L'UNION DE NOS FORCES...
PAS MÊME UN MUR !!

GAÏA LE CHEVALIER DES TÉNÈBRES
BLACK MAGICIAN
Attaque 2500
Défense 2100
Permet de rallier un ennemi à soi en s'emparant de son âme.
Brûle le territoire de l'ennemi et s'empare de son niveau de protection.
CHEVALIER ELFE
Défense 1200
DÉMON
Attaque 2500
Défense 1200
BROUILLARD
LA MALÉDICTION DU PENTAGRAMME
Battle 95 LE DONJON DE LA PEUR

BAM
LE TABLEAU DU LABYRINTHE
PIÈGE PAR LES FRÈRES MEÏKYÛ, LE CHEVALIER DES FLAMMES ÉTAIT DANS UNE SITUATION DÉLICATE !!
BOÎTE MAGIQUE DE LA MORT
BLACK MAGICIAN
MAIS YÛGI A CONTRE-ATTAQUÉ AVEC SON "BLACK MAGICIAN" ET DÉLIVRÉ LE CHEVALIER DU PIÈGE DANS LEQUEL IL ÉTAIT COINCÉ !!
YÛGI ! MERCI !!!
JÔNO-UCHI, ON FONCE !!!
ON VA FILER DROIT VERS L'ISSUE !!!
NUUUO...
宮
LES FRÈRES MEÏKYÛ (CADET) Points de vie 1600
GROO
N'ESPÉREZ PAS VOUS EN TIRER SI FACILEMENT !!!
GROO
GROO

ZDOOO
LA PARTIE CONTINUE !!!

ALLEZ-Y, MES AMIS !!
MONTREZ-LEUR LA FORCE DE VOTRE ÉQUIPE !

OUAIS !!!
JÔNO-UCHI
Points de vie
1600
JÛGI
Points de vie
1600

ZRUU
ZRUU
LES FRÈRES MEÏKYÛ (AÎNÉ)
Points de vie
1700

LES FRÈRES MEÏKYÛ (CADET)
Points de vie
1600

VLAF
À MOI DE JOUER !!!

!

DOM
LA CARTE DU "DIEU DE LA FOUDRE SANGA" !!!
DIEU DE LA FOUDRE SANGA ★★★★★
Grâce aux cartes de l'eau, de la foudre et du vent, les trois divinités fusionnent pour devenir l "Gate Guardian".
Attaque 2200
EH HE HE...

CARTE FAIT PARTIE DES TROIS DIVINITÉS, CELLES DE LA FOUDRE, DE L'EAU ET DU VENT.
IL RESTE ENCORE DEUX CARTES... "DIEU DU VENT HYŪGA" ET "DIEU DE L'EAU SŪGA" !

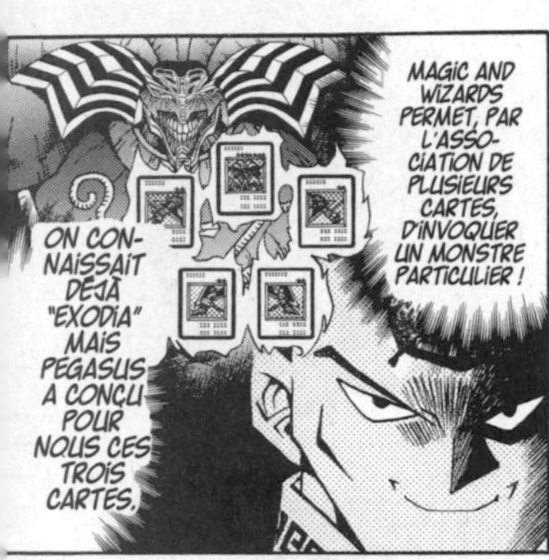
MAGIC AND WIZARDS PERMET, PAR L'ASSOCIATION DE PLUSIEURS CARTES, D'INVOQUER UN MONSTRE PARTICULIER !
ON CONNAISSAIT DÉJÀ "EXODIA" MAIS PEGASUS A CONÇU POUR NOUS CES TROIS CARTES.

LES DEUX AUTRES CARTES SONT ENCORE DANS NOTRE TAS DE CARTES... MAIS, SI ON ARRIVE À LES RASSEMBLER, ÇA DONNERA NAISSANCE AU "GATE GUARDIAN" !!
FOUDRE
VENT
EAU

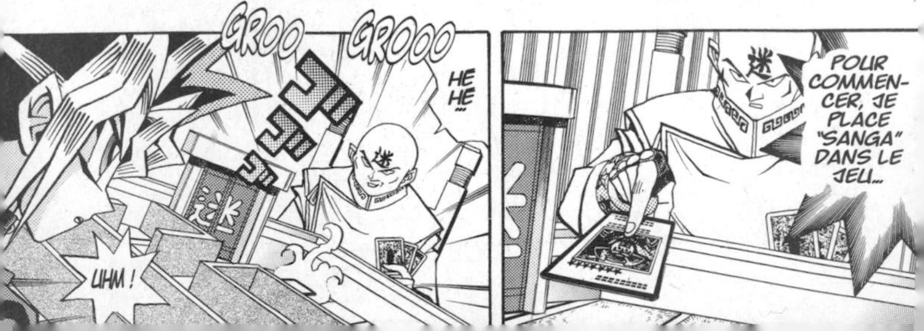
POUR COMMENCER, JE PLACE "SANGA" DANS LE JEU...
GROO
GROOO
HE HE...
UHM !

ゴゴゴ
GROO
GROO

DEVANT LA PORTE "MEÏ", IL Y A UNE BOITE SUSPECTE QUI VIENT D'APPARAITRE...
QU'EST-CE QUE ÇA PEUT ÊTRE ?

MÊME SI LA CHANCE VOUS PERMET DE SORTIR DU LABYRINTHE... QUAND ON AURA TIRÉ LES DEUX AUTRES CARTES, LE "GATE GUARDIAN" VOUS CONDUIRA DIRECTEMENT À LA MORT...
MON TOUR EST FINI !

LE KANJI DE LA FOUDRE... CETTE BOITE RENFERME QUELQUE CHOSE...
J'AI COMME UN MAUVAIS PRESSENTIMENT...!

BON, C'EST À MOI DE JOUER !!!

JE NE VOIS PLUS DE MONSTRE DANS LE LABYRINTHE ! HA HA !
YUGI LES A TOUS BALAYÉS !!!
LE "CHEVALIER DES FLAMMES" VA FONCER EN PREMIER !!

SRAA
SRAA

MON TOUR EST TERMINE !!!

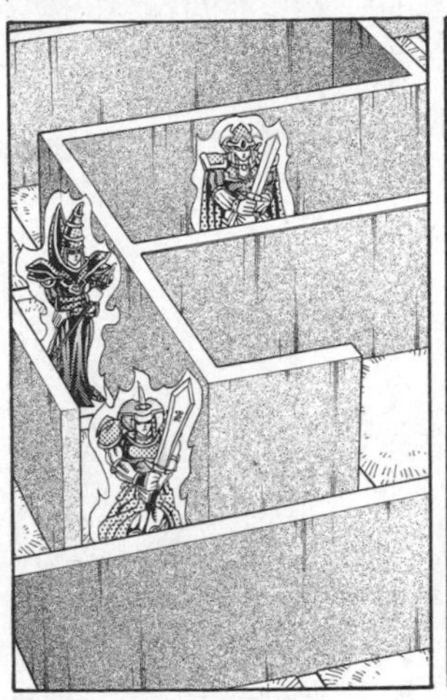

ILS ONT TROIS MONSTRES EN JEU...
IL NE RESTE PAS BEAUCOUP DE DISTANCE AVANT QU'ILS N'ARRIVENT À LA PORTE...
MAIS...

JE DOIS LES RETENIR JUSQU'À CE QU'ON TIRE LES DEUX CARTES MANQUANTES !!!

À MON TOUR !!!
VLAF

ZDODOOM
LE DIEU DE L'EAU SÛGA
★★★★★★
Grâce aux cartes de
l'eau, de la foudre et du
vent, les
ois divinités
ur devenir
fusionn
le "Gatg
lan".
Attaque
2400
LA CARTE DU "DIEU DE L'EAU SÛGA" !
HE HE... JE VIENS DE TIRER LA DEUXIÈME CARTE DES TROIS DIVINITÉS !!
VLAF
BIEN ENTENDU, JE LA PLACE DANS LE JEU !
GROO GROO GROO
PLUS QU'UNE CARTE À TIRER POUR POUVOIR LES FUSIONNER !!

!
UNE DEUXIÈME BOITE VIENT D'APPARAITRE...!!

JE SENS QUE L'ATMOSPHÈRE DEVIENT PESANTE... IL N'Y A PAS QUE LA TENSION DE LA PARTIE...
IL Y A UNE ENORME PRESSION QUI SE DÉGAGE DE CES BOITES !!

宮
JE DOIS LES AFFAIBLIR AVANT DE TIRER LA CARTE MANQUANTE.

ET EN PLUS ...
... JE PLACE CETTE CARTE EN ATTAQUE !

DOM
DONJON WORM ★★★★★★
Attaque 1800
Défense 1500
LE "DONJON WORM" !!!

GROO
GROO
!!
GROO
JE SENS LA TERRE QUI TREMBLE ...!!
ZRUU
ZRUU

GWUAAAAAA
DONJON WORM
Attaque
1800
CHEVALIER ELFE
Attaque
1400
UN MONSTRE SURGIT DE LA TERRE !!
CROC
SCROC
SCROC
LE CHEVALIER ELFE VIENT DE SE FAIRE BOUFFER !!

YÛGI
Points de vie
1200
ZRULU
ZRULU
ZLUMF
NUORP
NUORP
"DONJON WORM" S'EST DISSIMULÉ SOUS TERRE...!!
NUORP
"DONJON WORM" RETROUVE IMMANQUABLEMENT CELUI QUI S'AVENTURE DANS LE LABYRINTHE !!!
EN PLUS, QUAND IL BOUFFE UN ADVERSAIRE, IL AUGMENTE SA PUISSANCE DE 10% !
ÇA CRAINT...
YÛGI, ON FAIT QUOI ?!
L'AFFREUX VER DE TERRE !
C'EST MON TOUR !!!
DANS CE CAS, CETTE CARTE...

!!
S'IL RESTE PLANQUÉ SOUS TERRE, ON NE PEUT PAS L'ATTAQUER...
...

LE CHAPEAU MAGIQUE !!!
LE CHAPEAU MAGIQUE (CARTE DE MAGIE)
La combinaison avec un magicien permet de porter une attaque magique.
BLACK MAGICIAN ★★★★★★
COMBO
ET... COMMENT ?!!
QUATRE CHAPEAUX DANS LE TABLEAU ?!
LEURS PIONS SONT DISSIMULÉS DESSOUS !!!
BLAM
AVEC ÇA, ON PEUT BERNER LE VER !!
"BLACK MAGICIAN" ET "CHEVALIER DES FLAMMES" SONT CACHÉS DANS LES CHAPEAUX !
"DONJON WORM" A AUGMENTÉ SA PUISSANCE DE 10%.
SI JAMAIS IL S'ATTAQUE AU BLACK MAGICIAN, IL S'AUTO-DÉTRUIRA !!

DONG
... JE VAIS UTILISER CETTE CARTE !!!
LE DRESSEUR DE MONSTRES (DES CRÉATURES DE L'ENFER)
En partageant une partie de sa force (1/3) avec les monstres en jeu, il a la possibilité de les contrôler.
LE DOMPTEUR DES MONSTRES DE L'ENFER !!
DANS CE CAS...
HE HE ...
ZRUU
ZRUU
GROO
GROO
NORMALEMENT, JE N'AI PAS LA POSSIBILITÉ D'UTILISER LA CARTE DU "DONJON WORM" DE MON FRÈRE...
MAIS LE POUVOIR DU DOMPTEUR LUI FAIT AUGMENTER SA PUISSANCE DE 600 POINTS ET EN PLUS JE PEUX JOUER CE MONSTRE COMME SI C'ÉTAIT L'UNE DE MES CARTES !!
OUPS !
GRÂCE AU DOMPTEUR, "DONJON WORM" A UNE PUISSANCE QUI DÉPASSE CELLE DU MAGICIEN !!
S'IL RÉUSSIT À M'ATTEINDRE, JE ME FAIS DESCENDRE !!

VIENS À MOI "DONJON WORM" !!!
PSHi
GROO
GROO
GROO
J'Ai UNE CHANCE SUR DEUX...!!
ZRUU
ZRUU
ZRUU
ZRUU
ZBUOOM
ZBUOOM
ZBUOOM
DONJON WORM
Attaque
2580

...
ZRUU
ZRUU
GURPS...
IL N'ÉTAIT PAS DANS CE CHAPEAU...
C'EST RATE...
OUF ! ON L'A ÉCHAPPE BELLE !
MAIS "DONJON WORM" SE DISSIMULE SOUS TERRE À L'ABRI DES ATTAQUES !
À L'ABRI DE VOS ATTAQUES !!!

NUOORP

LA CHANCE NOUS A AIDÉS SUR CE TOUR, MAIS AU PROCHAIN, ÇA RISQUE D'ÊTRE CHAUD POUR NOUS...
IL EST INUTILE DE CONTINUER À SE CACHER SOUS LES CHAPEAUX...!
QUE FAIRE ...?
VLAF
À MOI DE JOUER !!!
EH BIEN, MOI...
... J'AI HORREUR D'ÊTRE ENFERMÉ DANS DES ENDROITS SOMBRES...

SHUBAAAAAA
!!
IL NE SE CACHE PLUS ?!
...!
JÔNO-UCHI...!
?!
QU'EST-CE QUI LUI PREND ?!
RE-GARDE ÇA !
LA PUISSANCE DE CETTE CARTE !!
LA CARTE DE "SARA-MAN-DORA" !!!
BLAM
SARAMANDORA (CARTE DE MAGIE)
Elle donne 700 points de niveau d'attaque à l'épée qui possède l'élément du feu.

EN AVANT !!!
ELLE DONNE SON POUVOIR À L'ÉPÉE DU CHEVALIER DES FLAMMES !!!
WUOOOO
SARA-MAN-DORA !!!
GWUOOOO
CHEVALIER DES FLAMMES Attaque 2500
ZWUOOOOO
COM-MENT ?!
LA FLAMME S'EST ENGOUFFRÉE DANS LE TROU OÙ EST CACHÉ "DONJON WORM" !!

Mais oui...
!!
Les flammes de Saramandora peuvent s'infiltrer sous terre pour griller celui qui s'y cache !!
Donjon Worm est grillé !!
GYAAAAA
GWUOOOOO
URKS...
Je n'arrive pas à y croire... il a réussi à détruire mon Donjon Worm...
宮
Les frères Meïkyû (cadet) Points de vie 1080
DOM
Jônouchi ! Tu m'épates !
Youpii !! Bien joué !!
BIEN !!!

C'EST À MOI MAINTENANT !
VLAF
LE DIEU DU VENT !!
DIEU DU VENT HYÛGA
★★★★★★
Grâce aux cartes de l'eau, de la foudre et du vent, les trois divinités fusionnent pour devenir le "Gate Guardian".
Attaque 2400
Défense 2200
VOILÀ ! L'EAU, LE VENT ET LA FOUDRE SONT ENFIN RÉUNIS !!
ET VOILÀ LE "GATE GUARDIAN" !!!
GROOO
GROOO
GROOO
C'EST... MAIS ?!
!!

C'EST ...!!
WA HA HA !! LES TROIS DIVINITÉS SONT RÉUNIES !!!
LE DIEU DE LA FOUDRE SANGA
Grâce aux cartes de l'eau, de la foudre et du vent, les trois divinités fusionnent pour devenir le "Gate Guardian".
Attaque 2500
Défense 2200
LE DIEU DU VENT HYÛGA
Grâce aux cartes de l'eau, de la foudre et du vent, les trois divinités fusionnent pour devenir le "Gate Guardian".
Attaque 2200
Défense 2200
LE DIEU DE L'EAU SÛGA
Grâce aux cartes de l'eau, de la foudre et du vent, les trois divinités fusionnent pour devenir le "Gate Guardian".
Attaque 2400
Défense 2400
LA FOUDRE !!!
L'EAU !!!
LE VENT !!!
GROO
GROO
À NOUS LE DÉMON DE LA FUSION !!
Battle 96 LE TERRIFIANT DÉMON !!

ZDOOOM
LE DIEU DU VENT Attaque 2400
LE DIEU DE LA FOUDRE Attaque 2600
LE DIEU DE L'EAU Attaque 2500
GATE GUARDIAN !!!!

LE "GATE GUARDIAN" EST LE VRAI GARDIEN DES PORTES "MEÏ" ET "KYÛ".
SI ON NE SE DÉBARRASSE PAS DE LUI, ON NE PEUT PAS SORTIR DE CE LABYRINTHE !

Battle 96
LE TERRIFIANT DÉMON !!

"GATE GUARDIAN" !!!
C'EST DONC LUI, LE BOSS FINAL DE CE TABLEAU !
ON VA SE LE FAIRE !!!
...
JÛGI Points de vie 1200
JÔNO-UCHI Points de vie 1600
ZDOOODOOOM
ドドドドド
GATE GUARDIAN
CHEVALIER DES FLAMMES
BLACK MAGICIAN
LE DOMPTEUR DE MONSTRES
HE HE... ON EST DÉSOLÉS POUR VOUS, MAIS ON VOUS A GARDÉ LE MEILLEUR POUR LA FIN... ON A INVOQUÉ LE GATE GUARDIAN, LE PLUS PUISSANT DES GARDIENS DE CE LIEU.
LES FRÈRES MEÏKYÛ (CADET) Points de vie 1080
LES FRÈRES MEÏKYÛ (AÎNÉ) Points de vie 1700
YUGI JÔNO UCHI
CE TRIPLE MONSTRE A L'AIR BALAISE...
KWUAAA
VOUS N'ATTEINDREZ JAMAIS LA PORTE. VOUS ALLEZ MOURIR PAR LA VOLONTÉ DU "GATE GUARDIAN" !!

HE...
LES FRÈRES CHAUVES ! ÉCOUTEZ ÇA !!
SI VOTRE TRUC, C'EST LA FUSION...
NOUS, C'EST L'UNION QUI FAIT NOTRE FORCE !!
BLAM
HE HE ...
ALORS, LIBRE À VOUS DE METTRE À PROFIT VOTRE UNION POUR OUVRIR LA PORTE !!

C'EST À MOI DE JOUER ! MAIS JE SUIS OBLIGÉ DE PASSER UN TOUR À CAUSE DE L'INVOCA-TION DES DIVINITÉS...
PAR CONSE-QUENT, YÛGI, C'EST À TOI DE JOUER !!!
VLAF
ON N'A QUE DEUX ÉLÉMENTS EN JEU... LE CHEVALIER ET BLACK MAGICIAN QUI EST RESTÉ CACHÉ DANS LE CHAPEAU.
TANT QU'ON NE SERA PAS SORTIS DU LABYRINTHE, LACK MAGICIAN NE POURRA PAS PORTER UNE ATTAQUE EFFICACE...

ZRUU
IL FAUT FAIRE ATTENTION À NOS MOUVEMENTS ...
SUR CE TOUR, JE PLACE DEUX CARTES MASQUÉES DANS LE JEU !
BLAM
MON TOUR EST TERMINÉ !!!
À MOI, MAINTENANT !!!
TOUS LES SENS DU GATE GUARDIAN SONT ÉVEILLÉS !!
LE DIEU DE LA FOUDRE ATTAQUE LE "CHEVALIER DES FLAMMES" !!!
SON ATTAQUE PORTE JUSQU'À L'INTÉRIEUR DU LABYRINTHE !!!
IL N'Y A PAS D'ENDROIT POUR S'ÉCHAPPER !!

RAÏSHODAN !!!
ZGRAAAA GRAAA
DIEU DE LA FOUDRE Attaque 2600
CHEVALIER DES FLAMMES Attaque 2500
URPS...
ON
VALIER
ES
MMES
!!!
LEUR
VEAU
EST
ÉRIEUR...
LE
EVALIER
VA Y
SSER...!
SKAAAA
BIEN ! ÇA EN FAIT UN EN MOINS !
LE CHEVALIER DES FLAMMES EST FOUTU !!!
HE HE ...
E N'EN
IS PAS
SÛR...
COM-MENT ?!

LA CARTE PIÈGE "MIROR FORCE" !!!
LE "CHEVALIER DES FLAMMES" EST PROTÉGÉ PAR CETTE CARTE !!
SHUBAAAAAA
BARRIÈRE DIVINE MIROR FORCE
CARTE PIÈGE
une barrière divine détruit tous les ennemis au moment où l'un d'eux engage une attaque.
LA BARRIÈRE DIVINE VIENT DE REJETER LE "RAÏSHÔDAN" ET...
YÛGI !!!
BZAAAAA
BZZZZ
... S'AT-TAQUE À L'ENNE-MI !!
HE...
LE DIEU DU VENT !! REPOUSSE L'ATTAQUE AVEC LE "STREAM BARRICADE" !!!

!
LE DIEU DU VENT A CRÉE UN TOURBILLON QUI A REPOUSSE LA CONTRE-ATTAQUE QUE JE VENAIS DE FAIRE !!
VYUUUUU
LE GATE GUARDIAN A LE POUVOIR D'ANNULER ET DE RENVOYER TOUTES LES ATTAQUES DIRIGÉES CONTRE LUI !
FHUMM...
PEUT-ÊTRE, MAIS CE N'EST PAS LE CAS DU DRESSEUR !!

MAIS...
BZZZI
BZZZI
BZZAZA
GYAAAAAA
KURPS...
GRRR...
LE DRESSEUR DE MONSTRES EST ÉLIMINÉ !!
LE DRESSEUR DE MONSTRES Attaque 1800
LES FRÈRES MEÏKYÛ (AÎNÉ) Points de vie 900

ÇA C'EST DU JEU !!!
MERCI YÛGI ! TU M'AS SAUVÉ LA PEAU !
D'APRÈS CE QUE JE VIENS DE VOIR, LE GATE GUARDIAN N'EST QU'UN ASSEMBLAGE DE MONSTRES DIFFÉRENTS SUR TROIS ÉTAGES...
EN LES PRENANT UN PAR UN, C'EST JOUABLE !!!
VLAM
À MOI MAINTENANT !!!
LE CHEVALIER DES FLAMMES !!!
GROOO
GROO
"LES FLAMMES DE SARAMANDORA" S'ATTAQUENT AU DIEU DU VENT !!
GROO GROOOOO
GROO
COMMENT ?!
!!

PRO-TEC-TION !! LE MUR D'EAU !!!
IL A DRESSÉ UN MUR D'EAU POUR ÉVITER L'ATTAQUE DES FLAMMES !!
ZRUUU
ZRUUU
SLAAAAF SLOUUUF
LES TROIS ÉLÉMENTS : L'EAU, LE VENT ET LA FOUDRE REPOUSSENT TOUTES LES AGRESSIONS !!
TU AS TOUT COM-PRIS...
À MON TOUR !
ET MAIN-TENANT LA CONTRE-ATTAQUE SUR LE CHEVALIER DES FLAMMES !!!
BROOOOOO
L'ONDE DE LA GRANDE VAGUE !!!

ZVOOOOOO
GWUOOO
BLACK MAGICIAN EST À L'ABRI DANS LE CHAPEAU.
MAIS LE CHEVALIER DES FLAMMES N'ÉCHAPPERA PAS À L'ATTAQUE DE L'EAU, IL VA PERDRE 300 POINTS !!
IL EST PERDU !!!
SPLOUUUF
DIEU DE L'EAU Attaque 2500
NON ...!
LE "CHEVALIER DES FLAMMES" EST DÉTRUIT !!!
CHEVALIER DES FLAMMES Attaque 2200
JÔNO-UCHI Points de vie 1300

ZRAA
ZRAA
J'ÉTAIS PRESQUE ARRIVÉ À LA SORTIE ET JE PERDS MON CHEVALIER...
IL FAUT ENCORE QUE JE ME REFASSE CE MAUDIT LABYRINTHE ...
HE HE...
PAS SI VITE... LE CHEVALIER N'EST PAS MORT POUR RIEN !
COMMENT ?
À MON TOUR !!!
JE VAIS SUIVRE LES TRACES LAISSÉES PAR LE CHEVALIER AVEC L'AIDE DE CETTE CARTE !
"L'APPEL DU DÉMON" !!!
L'APPEL DU DÉMON ★★★★★★★
Attaque 2500
Défense 1200
GROOO
GROOO
GROOO

ZRUU
ATTAQUE N'ATTEINDRA PAS LE GATE GUARDIAN EN FRANCHISSANT LE LABYRINTHE !!!

"L'APPEL DU DÉMON"
ZRUU ZRUU

HÉ HÉ... C'EST CE QU'ON VA VOIR...
JE VOUS AVAIS DIT QUE J'ALLAIS SUIVRE LES TRACES...
... LAISSÉES DANS LE LABYRINTHE !

MAIS ?!
!

DOM
L'ATTAQUE DU DIEU DE L'EAU A INONDÉ LE TABLEAU !!!

EN AVANT !!!
MAKORAÏ !!!
ZGRAAAA ZGRAAA
BZZZi
BZZZi
L'ARC
LECTRIQUE
ÉGAGÉ PAR
A PLUIE DE
OUDRE EST
N TRAIN DE
ARCOURIR
LE LABY-
RINTHE !!
ZGRAAAA ZGRAAA

AU BOUT DE CE PARCOURS, IL Y A LE DIEU DE L'EAU !
C'EST PARFAIT !!!
INUTILE !!!
LE DIEU DU VENT VA ASSÉCHER L'EAU EN DÉCLENCHANT UNE TORNADE !!!
LA CONTRE-ATTAQUE !!!
QUOI ?!
LA CONTRE-ATTAQUE DU DIEU DU VENT NE FONCTIONNE PAS...?!
EH OUI... JE SUIS DÉSOLÉ, MAIS...
... TU AS ATTAQUÉ LE BLACK MAGICIAN QUI ÉTAIT DANS LE CHAPEAU ! TU T'EN SOUVIENS ?

...
ZRUU
ZRUU
ZRUU
...!!

COMMENT ?!

LA CARTE PIÈGE EST DÉJÀ EN ACTION !!!
OUI, TU AS ATTAQUÉ CETTE CARTE QUI ÉTAIT RATTACHÉE AU BLACK MAGICIAN !!
BLACK MAGICIAN
LA MALÉDICTION DU PENTAGRAMME
CARTE PIÈGE
Celui qui s'attaque à cette carte s'expose à la malédiction du pentagramme.
DONG
UNE CARTE PIÈGE ...!!
L'EN-SOR-CEL-LE-MENT !!!
ET EN PLUS !!!
ZGRAAA ZGRAA
LE DIEU DE L'EAU SE PREND L'ÉCLAIR !!!

LE DIEU DE L'EAU EST DÉTRUIT !!!
ZBAAAAAAM
KURPS...
UN DES PILIERS DU GATE GUARDIAN VIENT DE DISPARAÎTRE...!!
LES FRÈRES MEIKYU (CADET) Points de vie 780
OUAIS, ON VA BALAYER TOUS LES ÉTAGES DE CE MONSTRE !
POUR UN BOSS FINAL, IL EST PLUTÔT MINABLE
VAS-Y... FONCE !
À MOI DE JOUER !!!
JE DOIS ME DÉBARRASSER RAPIDEMENT DE CET ENSORCELLEMENT, SINON JE NE PEUX RIEN FAIRE.
SPAF
ANNULATION DE LA MAGIE
Cette carte permet de se délivrer d'un ensorcellement.
L'ANNULATION DE LA MAGIE !!

DJAKiiiiiN
LA MALE-DICTION DU PENTA-GRAMME EST LEVÉE !!
LE GATE GUARDIAN EST À NOUVEAU OPÉRATIONNEL !!!
C'EST À VOUS DE JOUER !!
CETTE FOIS...
TANT QU'IL RESTE DANS LE LABYRINTHE, ILS N'ATTAQUERONT PAS LE GATE GUARDIAN !!
VOUS NE GAGNEREZ JAMAIS !!
VLAF
ZRUU
À MOI DE JOUER !!!
ZRUU
BWUOOF

JÔNO-UCHI !
C'EST LE MOMENT DE SORTIR NOTRE ATOUT !!

VOILÀ MA CARTE !!!
RED EYES BLACK DRAGON ★★★★★★★
Attaque 2400
Défense 2000
ET EN PLUS ...
... JE VAIS UTILISER LA CARTE DE MAGIE QUE J'AVAIS LAISSÉE RETOURNÉE DANS LE JEU !
LA FUSION
LA CARTE DE "LA FUSION" !!!
ZDOOOO DOOO

N DUEL SANS FIN (FIN)

SUPPLÉMENT !

LE BATTLE DE MAGIC AND WIZARDS DANS LE LABYRINTHE

FAMILLE DES DRAGONS
L'URNE DU DRAGON
★★★★★
Attaque 1200
Défense 1400
PERMET D'ENFERMER L'ENNEMI QUAND ON ATTAQUE AVEC UN DRAGON OU QUAND ON SE FAIT ATTAQUER PAR UN DRAGON.

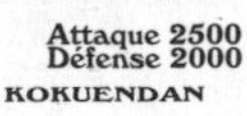

BLUE EYES WHITE DRAGON
★★★★★★
Attaque 3000
Défense 2500
BURST STREAM

GAÏA LE CHEVALIER DES TÉNÈBRES
★★★★★
Attaque 2300
Défense 1800
SPIRAL SHAVER

L'APPEL DU DÉMON
★★★★★
Attaque 2700
Défense 2000
MAKÔRAÏ

BLACK MAGICIAN
★★★★★
Attaque 2400
Défense 2600
MAGIE NOIRE

GATE GUARDIAN
★★★★★
Attaque 2300
Défense 2500
PERMET DE PORTER UNE ATTAQUE JUSQU'À TROIS CASES.

CURSE OF DRAGON
★★★★★
Attaque 2200
Défense 1900
HELL FRAME

Merci de nous excuser pour les différences avec le "véritable" jeu de Magic and Wizards.

DRAGON DES TÉNÈBRES

★★★★

Attaque 2200
Défense 2000

LE TAPIS DE FEU

HERACLES BEETLE

★★★★

Attaque 1900
Défense 2000

200 POINTS D'ATTAQUE EN PLUS À CHAQUE ATTAQUE.

DRAGON GARDIEN DE LA CITADELLE

★★★★

Attaque 2100
Défense 1500

CRACHE DES BOULES DE FLAMMES.

LE MAGICIEN DU TEMPS

★★★

Attaque 1000
Défense 500

IL PEUT SE TÉLÉPORTER, MAIS JUSTE UNE SEULE FOIS.

GREMELIN

★★★★

Attaque 1800
Défense 1900

PERMET DE PORTER UNE ATTAQUE JUSQU'À DEUX CASES.

ABEILLE TUEUSE

★★★★

Attaque 1500
Défense 1600

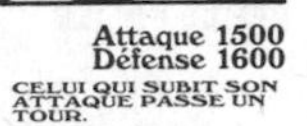

CELUI QUI SUBIT SON ATTAQUE PASSE UN TOUR.

GIMICK

★★★

Attaque 1800
Défense 2000

NE CRAINT PAS L'ATTAQUE DES MONSTRES À 6 ÉTOILES.

DARK EYE

★★★

Attaque 1700
Défense 300

EN ATTAQUANT UN MONSTRE À 5 ÉTOILES, IL LE NEUTRALISE PENDANT DEUX TOURS.

HOLLY ELFE

★★★

Attaque 1500
Défense 1800

CELUI QUI S'ATTAQUE À CETTE CARTE EST IMMOBILISÉ AU TOUR SUIVANT.

GAST

★★

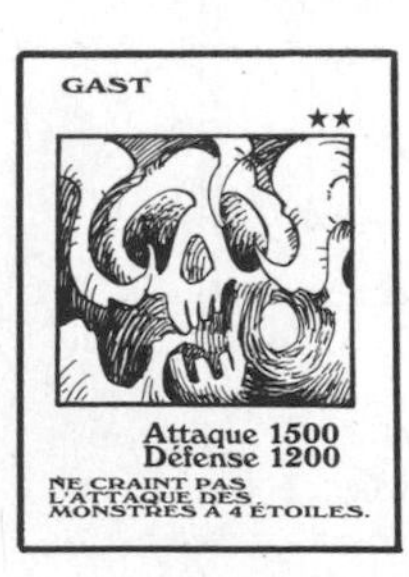

Attaque 1500
Défense 1200

NE CRAINT PAS L'ATTAQUE DES MONSTRES À 4 ÉTOILES.

GRIBOW

★★

Attaque 1500
Défense 1800

SON ATTAQUE RÉDUIT DE 300 POINTS LE NIVEAU D'ATTAQUE DE SON ADVERSAIRE.

BRAIN SLIM

★★★

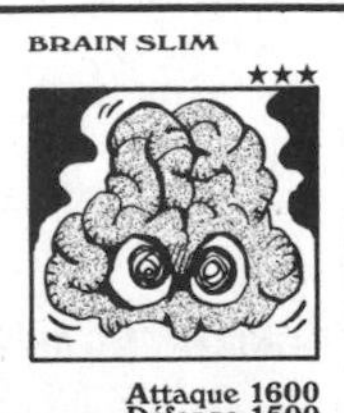

Attaque 1600
Défense 1500

NE CRAINT PAS L'ATTAQUE DES MONSTRES À 6 ÉTOILES.

NOMBRE DE JOUEURS

◇ Deux

CE QU'IL FAUT PRÉPARER AVANT DE COMMENCER

◇ Les joueurs choisissent leurs cartes. Il faut arriver à obtenir un total de 20 étoiles. Dans la limite de 7 cartes...!

◇ On aligne les cartes sur le tableau en les laissant à l'endroit.

◇ Une partie de janken décide de celui qui commence.

LA RÈGLE DU JEU

◇ Les joueurs jouent à tour de rôle. Pendant un tour, le joueur a la possibilité de bouger jusqu'à trois cartes. (Mais il ne peut pas déplacer deux fois la même carte.)

◇ On fait progresser les cartes dans les cases en suivant le nombre d'étoiles indiqué sur sa carte (2 étoiles = on avance de 2 cases).

◇ Pas plus d'une seule carte par case.

◇ On peut franchir une case occupée par l'une de ses cartes. Mais on ne peut pas franchir une case où se trouve la carte de son adversaire.

◇ Lorsque l'on déplace une carte, on est obligé d'indiquer si on la place en position d'attaque ou de défense.

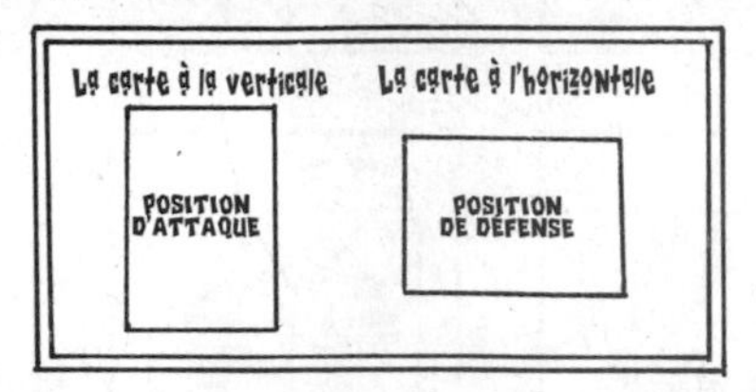

LE PRINCIPE DE L'AFFRONTEMENT

◇ Quand une carte s'approche de celle d'un adversaire, si elle est en position d'attaque, on peut engager le duel.

QUAND LA CARTE DE L'ADVERSAIRE EST EN POSITION D'ATTAQUE.

- ◇ Si le niveau d'attaque est supérieur, on gagne ! Celui qui perd retire sa carte du jeu.
- ◇ S'il y a égalité, on retire les deux cartes.

QUAND LA CARTE DE L'ADVERSAIRE EST EN POSITION DE DÉFENSE.

- ◇ Si le niveau d'attaque de votre carte est supérieur au niveau de défense de l'autre joueur, vous gagnez !
- ◇ Si le niveau d'attaque et de défense sont identiques, on retire la carte de celui qui est en position de défense.
- ◇ On peut attaquer en utilisant deux cartes.

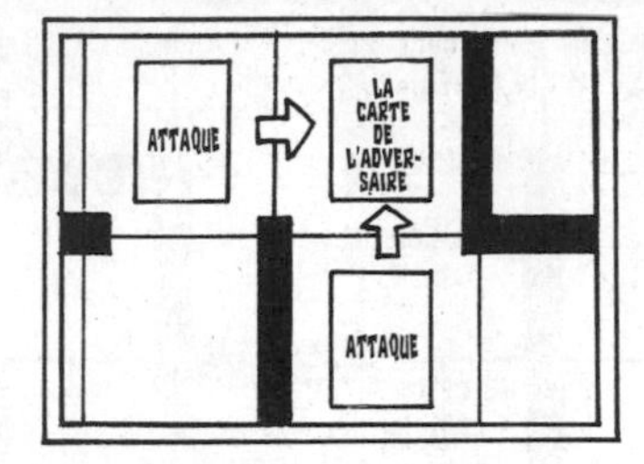

On fait la somme des points d'attaque des deux cartes et si le total est supérieur au niveau d'attaque du camp adverse, c'est gagné !!

COMMENT SE DÉCIDE LA VICTOIRE ?

- ◇ Très simple ! Il faut épuiser toutes les cartes de son adversaire !

MÊME SI TON ENNEMI POSSÈDE UNE CARTE À 6 ÉTOILES DU GENRE "RED EYES BLACK DRAGON", SI TU L'ATTAQUES AVEC DEUX CARTES PUISSANTES TU PEUX GAGNER !!
JE VOUS SOUHAITE UN BON DUEL À TOUS !

EMPLACEMENT DES CARTES

EMPLACEMENT DES CARTES

Courrier

"Yu-Gi-Oh!" à la carte...

Bonjour à tous les fans de Yu-Gi-Oh! Tout d'abord, je voudrais dire que je n'aime pas, mais ADORE ce manga et souhaite à Kazuki Takahashi une excellente continuation (il en est déjà à son 17e volume). Si vous aimez Magic & Wizard vous allez être servis dans les volumes 7 à 15, et ça recommence au volume 17! Mais si vous adorez, sachez que vous pourrez trouver ces cartes en France. Plus précisément à la librairie Junku, 18 rue des Pyramides à Paris (tél : 01.42. 60. 89. 12). Toutefois, faites attention! 5 cartes coûtent 16,50FF, soit 3,30FF la carte. Cette information fera peut-être le bonheur des fans. J'ai déjà pas mal de cartes apparaissant dans Yu-Gi-Oh! (mais elles sont en japonais). Maintenant, cette question s'adresse à Kana : ferez-vous une interview de Kazuki Takahashi? Viendra-t-il en France? Je vous dis au revoir et bonne continuation à Kana (avec les parutions des nouveaux mangas).

Florent V. (16 ans). - Quincy-sous-Sénart.

Merci pour ton information qui va ravir les fans de Yu-Gi-Oh!, c'est certain. Une interview de l'auteur? Cela fait effectivement partie de nos projets, mais ces messieurs les mangakas sont des hommes très, très occupés. Dès lors, nous ne pouvons te dire quand nous pourrons la publier! Pour les mêmes raisons, il n'est pas dans les projets de M. Takahashi de venir en France. C'est le lot de tous les auteurs à succès!! Mais il ne faut jamais dire "jamais"!

Bons baisers de Fort-de-France

Je tiens d'abord à vous remercier pour tout ce que vous faites pour nous fans de mangas. Merci infiniment. Pour jouer franc-jeu, au début je me disais : "Yu-Gi-Oh!, ça ne m'intéresse pas vraiment". Puis, en fin de compte, je me suis laissé tenter et depuis je suis méga-accro. Maintenant, je suis trop impatient à chaque fois qu'il faut attendre le prochain volume. "Yu-Gi-Oh!", c'est un livre que l'on prend plaisir à lire, c'est un vrai "jeu" (pas des Ténèbres). Sinon, j'étais vraiment énervé car "Yuyu Hakusho" était fini et je me disais : "si Kana pouvait sortir le dernier manga de Togashi, ce serait trop cool"... Et que vois-je dans "Yu-Gi-Oh!" 8? "Hunter X Hunter" sortira en mars! Et là, ce fut une explosion de joie. Alors, de tout cœur : arigatô! Tous vos mangas sont sublimes et je les ai tous. Merci. J'aime beaucoup "Détective Conan" même si, au début, j'hésitais à l'acheter. Au fait, le titre original de "Yu-Gi-Oh!", c'est bien le même qu'en français? Car moi, je pensais que ça pouvait être Yugi-O (le roi Yugi). Le roi du jeu en quelque sorte. Un jeu de mots car Yûgi, c'est le jeu en japonais. Merci et sincères salutations.

Karim "Subaru" - Fort-de-France / Martinique.

Avec ta lettre, c'est un peu du soleil de la Martinique qui est arrivé jusqu'à nous! Merci pour ta fidélité et tes chaleureux compliments. Nous espérons que la lecture de HXH te procurera autant de plaisir que les autres mangas de la collection Kana. Pour répondre à ta question : les titres français et japonais sont bien les mêmes. Seul la graphie change. En japonais, Yu-Gi-Oh! s'écrit avec trois idéogrammes. Le premier (Yû) signifie effectivement jouer. Le deuxième (Gi) veut dire blague, farce, attrape, tour (dans le sens de jouer un tour). Quant au troisième (O ou Oh), comme tu l'as écrit, il désigne le roi. C'est donc bien un jeu de mots qu'a fait l'auteur! Un détail : le Yu-Gi du titre et celui du personnage principal ont la même graphie!

CONCOURS : LES RESULTATS

Vous avez été nombreux à participer aux concours lancés dans les volumes 7 et 8 de "Yu-Gi-Oh!". Voici la liste des gagnants qui ont déjà reçu leurs cadeaux!!

Volume 7:

MAI Caroline - Noisy-le-Grand
ABBAS Myriam - Bourges
ROSSI Manuel - Montbronn
COIGNARD Amélie - Duclair
BANULS Vincent - Bennecourt
NGUYEN-DINH Caroline - Vallères
DREYFUS Pierre -Vauréal
BENOIT Jessica - Langeais
KLAEYLE Vincent - Malzeville
GRASLAND Sylvain - Crasne
DA COSTA SOARES Raphaël - Paris
CHUN-PEI Lee - Paris
JANSSENS Nathalie - Ronchin
MASLAH Nabil- Paris
ROUAUD Théophile - Riorges
APPERE Antoine - Brest
THUILLIER Jean-Damien - Frauenberg
LAFDIE Alexis - Anglet
HENDRIX Steve - Tongeren / Belgique
STERKENDERS Caroline - Fayt-lez-Manage / Belgique

Volume 8:

TESSON Ludovic - Le Hâvre
DEMAILLE Caroline -Fâches-Thumesnil
MARTINS Stéphane - Villemomble
RAVIART Daniel - Charenton-le-Pont
ROUJON Guillaume - Hadricourt
PEIGNEY Hugues - Lormont
HERMANS Christophe - Bruxelles / Belgique
CHIARI Laurent - Nyon / Suisse
CHAUPAL Boramy - Nogent-sur-Marne
MONDY Eric - Pezens

Brice
ANNONAY

La galerie des lecteurs

Émilie BERNA
20 ans
Aix en Provence

Cédric FAULLUMMEL
17 ans
Dijon

nvoyez-nous vos illustrations ou planches (2 maxi SVP!) à :

ANA, 15/27 rue Moussorgski, 75018 Paris France.

Attention ! Les originaux ne sont pas retournés.

Prévoyez une bonne photocopie.

ubliez pas d'indiquer vos nom, âge et ville au dos de chaque dessin.

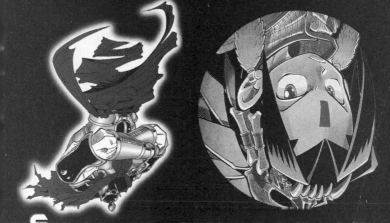

HUNTER × HUNTER

ハンター × ハンター

de Yoshihiro Togashi

Une aventure aux limite
de l'imagination...

Animaux méconnus, espèces rares, richesses enfouies, trés
cachés, monde des démons, terres encore inexplorées
Tout cela évoque la magie de l'inconnu. Un mot qui, par
force, envoûte certains hommes : on les appelle les "Hunter".
Gon, notre jeune héros, part sur les traces de son père, un Hun
de grande renommée, mystérieusement disparu.
Imaginez le meilleur des mangas d'aventure et dites-vous que v
êtes encore loin de "HxH".

YU-GI-OH!

7, avenue P-H Spaak - 1060 Bruxelles
3ème édition

First published in Japan in 1996 by Shueisha Inc., Tokyo
French language translation rights in France arranged by Shueisha Inc.
Première édition Japon 1996

Dépôt légal d/2000/0086/280
ISBN 2-87129-255-8

Conception graphique : Les Travaux d'Hercule
Traduit et adapté en français par Sébastien Gesell
Lettrage : Eric Montésinos

Imprimé en Italie par G. Canale & C. S.p.A. - Borgaro T.se (Torino)